이름 없는 세상

이름 없는 세상

발 행 | 2023년 07월 18일
저 자 | 채은
펴낸이 | 한건희
펴낸곳 | 주식회사 부크크
출판사등록 | 2014.07.15.(제2014-16호)
주 소 | 서울특별시 금천구 가산디지털1로 119 SK트윈타워 A동 305호
전 화 | 1670-8316
이메일 | info@bookk.co.kr

ISBN | 979-11-410-9575-8

이름 없는 세상

채은 지음

차례

들어가기 전

「이름 없는 세상」은 고등학교 1학년부터 써온 인생 첫 장편 소설이다. 불안정한 마음으로 하루를 버티며 살아가는 한빈과 자존감을 채우기 위해 끈질기게 살아가는 수현의 상황을 통해 비슷하게 닮아 있는 두 사람의 감정을 묘사 했다. 둘은 동거라는 선택지를 부여 받은 후 살아가게 된다. 그 과정에서 발생하는 사건 사고가 두 사람의 관계를 다른 방향으로 연결 시킨다.

사랑의 힘을 굴복하기 위한 처절한 싸움의 결말은 그 누구도 알 수 없다. 다만, 서로가 서로의 구원이 되고 영원이 된다면 그 결말 자체는 해피엔딩이라 할 수 있다.

부적응자

벌써 장마가 시작 된 모양인지 비는 전혀 그칠 생각을 하지 않는다. 축축하고 기분 나쁘게 떨어지는 비는 금방이라도 날 집어 삼킬 듯 하염없이 쏟아진다. 오늘이 무슨 요일이더라, 교복 입은 사람 양복 입은 사람 각양각색의 사람들이 한꺼번에 들이 닥치는 모습이 월요일임을 실감 하게 하는 분위기였던 거 같다. 그에 비하면 난 유행이 한참 지난 로고가 박힌 후드티와 보풀이 일어나 흉하게 바뀌어 버린 검은 바지를 입고 콜라를 사러 나온 사회 구성원 중 한 명일 뿐이었다. 편의점에서 콜라 캔을 하나 사고는 동전을 짤랑짤랑 손에 굴리며 콧노래나 흥얼거리는 이 상황과 하염없이 내리는 빗방울이 날 평범한 사람으로 만들게 해줘서 다행이라고 생각을 할 때 쯤이었다.

- 툭.

떨어지는 검은 봉지와 안에서 기분 나쁜 굉음을 내는 콜라의 소리만 듣지 않았어도 보다 더 나은 삶을 살았을까. 여전히 비는 그칠 줄 모르고 터지기 직전인 폭탄을 껴안고 전쟁터 소굴로 걸어갔다.

.

▪드르륵.

 최대한 소리가 나지 않게 입까지 틀어 막으며 7자리의 비밀번호를 누르고 들어온 곳은 나의 집이었다. 습관처럼 신발장에 또 다른 신발이 있는가 흘겨 보고는 그제야 속 편히 이 공간으로 들어오는 모습이 마치 한밤 중 몰래 들어온 좀도둑과도 같았다. 비에 흠뻑 젖어 물에 잠겨버린 비닐을 식탁 위에 올려두곤 기지개를 쭉 핀 뒤 화장실에 들어가 젖은 몸을 데우기 시작했다. 더 이상 따뜻한 물이 나오지 않는 샤워기와 물 때가 잔뜩 끼인 욕조, 곰팡이로 범벅이 된 욕실의 벽면도 어느새 나의 일상이 되었고 얼음장 같은 물을 전신에 적셨다. 몸이 으스러질 정도로 고통스러운 감각마저도 감사히 하며 믿지도 않는 신을 위해 기도를 중얼중얼 내뱉으며 짧은 샤워를 끝냈다.

"하... 피곤하다."

 누구에게도 들리지 않는 혼잣말을 내뱉자 전자 제품의

진동 소리만이 나의 대답에 응답이라도 해주듯 요란스럽게 울리기 시작했고 사이즈에도 맞지 않는 침대에 몸을 억지로 구기며 한껏 웅크린 채 숙면을 하려 발악했다. 비를 맞아서인지 샤워를 끝내서인지 발악을 하지 않아도 어느새 눈꺼풀이 반쯤 감기기 직전이었고, 그 순간,

"이한빈 집에 있지."

갈라지기 직전의 굵직한 목소리가 정신을 곤두 세우게 만들었다. 엄청난 속도로 뛰는 심장과 방문이 제대로 잠겼는지 이리저리 확인하는 나의 두 눈동자, 순간적으로 얼어붙어 움직일 생각조차 하지 않는 두 다리와 팔, 등골을 타고 내리기 시작하는 땀까지. 이 감정은 두려움이었다.

"콜라 나 먹으라고 사온 거지? 내가 먹는다."

피슉하는 탄산 소리와 함께 내용물이 폭포처럼 쏟아져 나오는지 요란스럽게 욕설을 하며 캔을 떨어트리는 소리가 불안의 늪에 잠기게 만들었다. 덜덜 떨리는 왼손으로 오른손을 세게 움켜쥔 뒤 휴대폰을 제일 먼저 만지작댔다. 이미 상태가 맛이 가서 달팽이처럼 느린 휴대폰이 뭐가 그렇게도 소중했던 건지 부러질 듯이 강하게 쥐곤 굳게

닫혀 있는 방문을 끊임없이 주시했다.

 밖에 있는 그 놈은 고함을 지르며 미친새끼 호로 잡놈의 새끼 등등 차마 알아 들을 수도 없는 욕설을 내뱉었고, 이리저리 돌아다니기 시작한 듯 바닥의 울림 소리가 들려오기 시작했다. 온갖 욕설이 멎을 때 즈음 문 너머의 그는 마침내 해결 방안을 찾은 듯 성큼성큼 걸어와 내 방의 문고리가 떨어져 나갈 듯이 돌리기 시작했고 이내 그것으로도 부족한 듯 발길질까지 하며 잠긴 문을 열기 위해 악썼다. 그러다 크게 요동치던 문이 어느덧 잠잠해지고 서늘하게 느껴지는 침묵의 시간이 얼마나 흘렀을까. 엄청난 굉음 소리와 함께 열리지 않을 듯한 문이 힘 없이 열렸다.

 "너 문 잠그지 말랬지."

.

 그는 나의 구레나룻을 당겼고 나의 몸은 차가운 바닥에 힘 없이 팽겨쳐졌다. 이내 그는 온 몸에 힘을 실으며 나를 즈려 밟기 시작했고 머리에선 알 수 없는 액체가 흘러 나오는 동시에 다리에는 아무런 감각이 느껴지지 않기 시작했다. 난 도살장에 끌려온 개가 된 마냥 숨을 헐떡헐떡 내뱉었고 이 상황을 회피 하기 위해 눈을 질끈 감곤 그를 저주 했다.

 저주가 그에게 닿은 것일까, 그는 중얼중얼 혼잣말을 내뱉은 뒤 큰 소리가 날 만큼 문을 세게 닫곤 유유히 그 공간을 빠져 나갔다. 주체할 수 없는 떨림을 어떻게든 진정 시키기 위해 창 밖을 보자 비는 그친지 오래 된 듯 햇빛이 두 눈에 가득 담겼다. 내가 있는 공간과 바깥의 공간은 어쩜 이렇게도 다른 색상을 지니고 있는 것인가. 어떤 노력을 해야 남색 빛이 아닌 하늘 빛을 향해 나아갈 수 있는 것일까. 태생부터 어두운 남색과 하늘 색은 조화를 이룰 수 없는 것일까. 온갖 잡다한 생각을 하다가도 한 번씩 찔러오는 고통이 현실로 불러 오게끔 만들어줬다. 감각조차 느껴지지 않는 나의 다리와 붉은 액체가 굳어버려 생긴 딱지, 혼미 해지는 정신까지. 끝으로 난 깊은 밤에 빠져 들었고, 그 꿈이 현실이 되기를 꿈에서도 간절히 바랬다.

.

눈을 뜨니 그곳은 병원이었다. 천장도 하얗고 바닥도 하얗고 모든 게 하얀 병원, 난 본능적으로 알 수 있었고 나의 예상은 빗나가지 않았다.

 "엄마...?"

 그녀는 나를 보며 환히 미소를 지었고 난 그녀에게 홀린
듯 안길 뿐이었다. 안긴 그녀의 품은 얼음장처럼 차가운
뼈 덩어리 뿐이었지만 그녀의 따스한 품을 난 피할 수 없
었다. 그녀의 얼굴은 햇살 가득한 태양의 이미지를 형상화
할 수 있었고 그곳은 마치 낙원과도 같았다. 노곤해진 정
신과 서서히 가라 앉는 육체가 나를 살아 있게 하는 기분
을 느끼게 했고 저 멀리서 지저귀는 새 소리와 살랑살랑
흔들리는 나뭇가지, 일정한 속도로 움직이는 심장 박동까
지, 이 모든 것이 저절로 미소 짓게 만들었다. 그녀의 손
은 이미 뼈만 남아 자칫 부러질 수도 있을만큼 얇게 비틀
어졌지만 두 눈을 질끈 감고 투박한 손길을 느꼈다. 그것
이 나의 원동력이었다.

 "엄마…… 엄마……"

 그 상황에서 할 수 있는 일은 가만히 그녀에게 안겨 같
은 말을 반복하는 것 뿐이었다. 그녀는 나의 심정을 알고
있는 듯 말 없이 나의 등을 두드리며 괜찮다는 말만 반복

적으로 중얼거렸고 눈물이 잠잠해진 그 때 그녀가 나에게 말했다.

"넌 태양처럼 빛나는 아이야. 힘들 땐 엄마 생각을 해. 엄마는 언제나 너 편인 거 알지?"

이 말을 끝으로 그녀는 내 손에 손수건을 건네주고 또다시 주름이 생길만큼 환한 웃음을 보이곤 자장가를 불러주며 끊임없이 나의 등을 토닥여줬다. 내리쬐는 태양 빛을 받으며 깊은 잠에 빠진 뒤 세상에서 점점 멀어졌다. 꿈인지 생시인지 구분이 안 될 만큼 생생한 감촉이 이 공간에 평생토록 존재 하도록 만들었으면 하는 생각이 들었다. 그냥 이 순간이 영원 했으면 그냥 이대로 이 감촉을 내 것으로 만든다면......

.

▪우우우웅- 우우우우웅-

듣기 싫은 전화벨 소리로 아침을 맞이했다. 짜증나는 소리로 잠긴 목을 축이며 전화를 받으니 보이스피싱 같은 여자의 목소리가 기분을 언짢게 만들었다. 작게 하품을 하고 기지개를 피니 내 손에 잡혀 있는 건 꿈에서 본 아이보리 손수건, 정확히 말하자면 아이보리였던, 붉게 물들어진 손수건이었다.

내가 이걸 쥐고 잠이 들었었나 정말로 엄마가 잠시 왔다가 간 건가 온갖 생각을 하다가 이내 참을 수 없는 고통에 몸을 비틀었다. 구역질을 막기 위해 어떻게든 양 손을 틀어 막은 뒤 화장실 변기 앞에서 몸을 굽히곤 나오지도 않는 토사물을 꾸역꾸역 내뱉다가 침 범벅이 된 입 주변을 휴지로 대충 닦았다. 이내 거울에 비친 내 모습을 바라보았고 거울에 비친 난 죽기 직전의 사람처럼 새하얗게 달아 올라 있었다. 눈 밑엔 다크서클과 더불어 머리를 타고 내려온 피의 딱지, 기름진 머리까지. 나의 몰골은 말이 아니었고 내 모습을 애써 외면하곤 차갑게 쏟아지는 물에 내 몸을 맡겼다. 마치 이 모든 상황이 데자뷰처럼 느껴지는 이유가 뭘까.

상처가 찢어진 건지 투명하게 흘러내리던 물은 이내 붉게 물 들었고 따끔 거리는 머리를 지혈 하기 위해 선반에서 구급 상자를 꺼내 거즈를 덕지덕지 붙였다. 뒤통수를 여러 번 만지작 거리다 매트리스에 쓰러지듯 누웠다. 이미 차가워진 매트리스 안에 파묻힌 휴대폰을 들어 올리니 시간은 벌써 2시를 향해 가고 있었다. 아무에게도 오지도 않는 연락을 기다리는 척 휴대폰만 만지작 대다가 외출을 나왔다.

.

 엘리베이터 점검으로 인해 12층이나 되는 높은 층을 계단으로 내려가는 이 상황과 횡단보도의 신호가 모조리 걸리는 이 상황, 먹고 싶었던 빵이 다 팔려 마지막 남은 유통기한이 다 된 빵을 사는 이 상황, 맑았던 날씨가 갑자기 먹구름이 끼더니 비가 쏟아지는 이 상황까지. 모든 상황들이 나를 불행의 대명사로 치부하기에 충분했다. 모든 것에 순응하지 못 하고 회피 하기 위해 몸부림 치는 나의 모습이 얼마나 부적응자처럼 보이는가. 따끔 거리는 뒤통수를 만져보니 언제 떨어졌는지 흔적조차 보이지 않는 거즈가 머리를 더 얼얼하게 만들었고 우산을 쓴 사람들 틈 사이에서 벗어나기 위해 얼얼한 마음을 애써 꾹 누르곤 빗 속을 달렸다. 달리고 또 달리고 또 달렸다. 엘리베이터 수리는 아직도 다 끝나지 않았는지 점검 중 표시만 빨갛게 불켜져 있었고 또 다시 달렸다. 미치도록 숨이 턱 끝까지 막히는 기분이었지만 달리고 계속 달렸고 집에 도착했다. 하지만 난 아주 잠시 나의 징크스를 까먹고 있었다.

미친 듯이 황홀한 꿈을 꿨을 때마다 그 꿈의 반대로 일어나는 나의 현실을.

.

- 끼이익

기분 나쁘게 천천히 닫히는 문 안의 공간은 지옥과도 같았다.

"어디 갔다 왔냐. 봉지에 들고 있는 건 또 뭐야, 먹을 거? 이리 줘 봐 한 번 보게."

눈을 좌우로 돌리다가 크게 숨을 뱉곤 그에게 봉지를 건네자 봉지의 찰랑이는 소리가 그의 기분이 언짢음을 짐작할 수 있었다.

"빵 왜 사왔냐. 술 안 사왔어?"
"...... 네."

그 말을 끝으로 난 또 다시 바닥에 뒹굴어졌다. 내가 무슨 잘못을 저지른 거지? 내가 왜 이렇게 쓰러질 듯이 개처럼 후드려 맞고 있는 거지? 가스라이팅을 당하는 것 마냥 이미 망가질대로 망가진 난 초점 없이 창문 너머 반짝이는 건물을 바라 볼 뿐이었다. 이미 벌어져서 틈새가 생긴 상처에는 또 다시 붉은 색 액체가 나오기 시작했고 보랏빛 꽃을 피운 몸은 여백의 공간도 없이 점점 온 몸을 채워가기 시작했다. 퍽퍽 거리는 소리가 고막을 간지럼 피웠고 그 놈은 씨익씨익 거리며 주방으로 달려가 담배에 불을 붙이곤 차갑게 내려다 보며 나의 얼굴을 향해 연기를 힘껏 내뿜은 뒤 이렇게 말했다.

 "넌 내가 밉냐?"

 그의 말은 감기기 직전의 내 눈을 크게 뜨게 할 만큼 위협적인 말이었다. 그 놈은 나의 눈을 뚫어져라 바라보다가 또 다시 연기를 힘껏 내뿜곤 말을 이어 나갔다.

 "난 내가 존나게 밉거든."

 그는 나를 알 수 없는 시선으로 바라보곤 홀연히 어딘가로 사라졌다. 사라지는 그림자를 보고 난 뒤 기절하듯 깊은 잠에 빠졌다. 검은 공간에서 누군가에게 무덤덤한 어조로 말을 내뱉었다.

 "자신을 좀 사랑해 봐."

검은 존재가 나에게 속삭이듯 말했다.

 "과연 그럴 수 있을까?"

.

 목이 턱 막히는 갈증, 뻐근한 팔과 다리의 감각, 미친듯이 욱신 거리는 뒷통수를 붙잡으며 몸을 일으켜 세웠다. 몸을 억지로 일으키자 강하게 퍼지는 엄청난 두통이 육체를 다시 바닥에 이끌었다. 멍한 정신으로 천장을 바라보다 두 볼을 몇 번 때린 뒤 몸을 다시 일으켰다. 불안한 마음을 없애기 위해 냉장고에서 물을 꺼내 벌컥벌컥 마신 뒤 굳게 닫혀 있는 방문을 향해 절뚝 거리며 걸어갔다. 왜 이렇게 불안함이 사라지지 않는 것일까, 어째서 기분 나쁜 냉기가 자꾸 느껴지는 걸까, 여러 번 호흡을 내뱉다가 결심이라도 한 듯 문고리를 돌렸다. 온갖 용을 써서 손잡이를 돌렸으나 꿈쩍도 않는 문이었다. 불안한 마음에 서둘러 주방으로 뛰어가 쇠 젓가락을 움켜 쥐곤 벌벌 떨리는 손으로 문고리를 강제로 돌려 문을 열었다.

 차갑게 내려다 보는 눈빛이 간신히 서 있던 다리를 주저 앉게 만들었다. 얼어붙은 존재의 손을 잡자 소매 안에선 작은 쪽지가 내 발 앞에 무겁게 떨어졌다. 곱게 접힌 쪽지를 펼친 뒤 그곳에 적혀 있는 내용을 본 나는 그 놈을 멍하니 쳐다보다 쪽지를 구기며 내 주머니에 넣었다. 주위를 이리저리 둘러보다 시야에 들어온 아이보리 빛깔의 담요를 그의 머리에 씌워주곤 코를 훌쩍이며 냉랭함이 가득한 공간에서 빠져나왔다. 조그마한 쪽지에 적혀 있던 그 말은

"나를 사랑하지 못 해 미안하다."

외로운 두 사람

 벌써 여섯 통의 전화다. 수화기 너머의 이 사람은 지치지도 않는지 쉬지도 않고 파국으로 몰아갔다. 의미 없는 전화의 반복이 벌써 며칠 째인지 알 수도 없다. 무의미하게 냉장고를 바라보다 차가운 바닥에 등을 붙였다. 아이보리였던 천장이 회색 빛으로 번지기 시작했고 물의 수압과 전기는 점점 약해지다 아예 공급 조차 되지 않는 상황에까지 도달 했으니 숨이 턱 막힐 지경이었다. 주변을 둘러봐도 먹을 수 있는 건 아무것도 없었다. 난 그 어디에도 속하지 못 하는 진정한 부적응자가 되어 있었고 온갖 잡생각에 빠져 눈을 감으려던 순간이었다.

- 쾅.

거센 바람이라도 부는 듯 엄청난 굉음 소리가 눈을 번쩍 뜨이게 만들었고 소리가 들리는 쪽으로 고개를 돌린 뒤 무언가에 홀린 듯 굳게 닫힌 현관문을 천천히 열었다. 그러자 순식간에 두꺼운 손이 목을 낚아 채는 듯한 압박감을 느끼곤 멍한 정신을 깨우니 이미 멱살이 잡힌 후였다.

"이게 무슨... 뭐 하시는 거..."
"집세는 언제 낼 건데?"

불현듯 안 낸 지 꽤 됐던 집세가 생각나기 시작했다. 수도세, 전기세, 생활비 등 온갖 비용이 지불 안 됐다는 현실이 숨이 더욱 막히게 만들었고 나를 움켜쥐던 그 손은 더욱 강한 힘으로 나를 고통으로 몰아 세웠다. 숨을 크게 들이 쉴수록 더 가빠지는 호흡이 이대로는 죽을 수도 있다는 생각으로 바뀌었고 무슨 자신감이었던 건지 나를 강하게 압박하는 그 손을 맞잡으며 벌벌 떨리는 입술로 말을 내뱉었다.

"아빠가 죽었어요. 도저히 돈을 어떻게......"

나의 말을 들을 가치도 없다는 듯 그는 힘줄이 다 보일 정도로 멱살을 잡은 뒤 아예 나의 숨통을 조이며 말을 내뱉었다.

"나는 말이야, 어리다고 봐주지 않아. 너의 그런 딱한 사정을 듣고 싶은 것도 아니고 돈만 있으면 돼. 내 말 알아듣겠어?"

이 말을 끝으로 그는 짓누르던 손을 떼곤 공중에 살짝 떠 있는 나를 바닥에 내팽겨쳤다. 나는 힘 없이 바닥에 고꾸라질 수 밖에 없었다. 그제야 숨이 트인 나는 침을 줄줄 흘리며 가쁜 숨을 내뱉었다. 벌벌 떨리는 몸으로 올려다 보니 그는 어깨를 으쓱하며 발 앞에 침을 뱉곤 3일의 시간을 주겠다고 말한 뒤 문을 닫지도 않은 채 발걸음을 뒤로 했다. 은은한 바람의 내음을 느낄 새도 없이 멍한 눈빛으로 달력을 보니 나의 최후의 날은 7월 18일인 듯 했다.

 .

 곰곰이 생각을 해 봤다. 짧은 시간에 돈을 벌 수 있는 방법을. 막노동, 일일 알바, 투잡, 폐기 줍기 심지어는 매춘과 장기매매까지도. 하지만 나의 깡은 그정도로 크지 않았고 이미 망가진 만큼 망가진 몸을 쓸 곳도 없을 듯 했기 때문에 지끈 거리는 머리를 부여 잡고 바닥에 누웠다. 이상하리 만큼 떨어지지 않는 고약한 악취가 마치 그 날의 기억이 떠올려 지는 듯해 기분이 더러워졌다. 머리를 몇 대 쥐어 박곤 또 다시 생각에 빠졌다. 곰곰이 생각을 한 끝에 마치 머릿속에 전구가 연결 된 듯 번쩍하는 기분과 함께 몸을 일으켜 세우곤 실소를 터트렸다.

"진작에 이럴 걸…"

중얼중얼 혼잣말을 하다가 결심이라도 한 듯 휴대폰과 충전기, 5개피만 들어 있는 담배곽, 돈이 얼마 들어 있지도 않은 지갑, 여벌의 티셔츠 두 벌과 속옷 두 장, 언제 샀는지도 기억 나지 않는 투명 우산과 엄마 사진을 챙겨 큰 맘 먹고 샀던 크로스백에 죄다 담은 뒤 숨을 크게 내뱉곤 현관을 나섰다. 그렇다. 생각한 방안은 가출이었다. 마치 영화에서나 볼 법한 가출을 내가 하게 되리라곤 전혀 상상도 못 했기에 문을 나서며 또 다시 실소를 터트렸다. 날씨는 어김없이 비가 추적추적 내렸고 왜인지 알 수 없는 불안함이 나의 정신을 삼켰다.

하염없이 걷다가 끝내 도착한 곳은 집 근처 버스 정류장이었다. 어디로 가야할 지 생각 하다가 내키는 대로 어디든 최대한 먼 곳으로 가자고 생각하곤 아무 버스나 타고 기차역으로 출발했다. 버스 안에서 내려다 본 세상은 나 하나 쯤은 없어도 별 상관 없다는 듯 평화롭게 흘러 가고 있었고 왜인지 기분이 나빠져 후드를 푹 눌러 쓰곤 쪽잠에 빠졌다. 시간이 얼마나 흘렀을까, 버스 안은 벌써 사람들로 가득 했고 낯선 측감에 돌아 본 곳에는 골아 떨어진 채 내 어깨에 거의 기대기 직전인 직장인이 있었고 그를 편히 기대게 한 뒤 다시 창 밖으로 고개를 돌렸다. 멍하니 창 밖만 보고 있었을 뿐인데 어느덧 기차역에 도착했고 직장인의 잠이 깨지 않게 조심히 그 공간을 빠져 나왔다. 그는 잔잔한 미소를 보이며 눈 감고 있을 뿐이었다.

.

 기차를 타 본 기억이 단 한 번, 엄마의 장례식 뿐이었기 때문에 그 때의 기억을 되살리며 어떻게든 기차를 타기 위해 애썼다. 어느덧 바뀌어 버린 세상이 부적응자인 나를 더욱 궁핍하게 만들었고 나는 그 공간에서 멍하니 허공만 바라볼 뿐이었다. 그러다 가야 할 곳이 생각이라도 난 듯 주변을 둘러보며 누군가를 급히 불러 세웠다.

 "정동진은 어떻게 가요?"
 "기차 금방 전에 갔는데... 아마 1시간은 기다려야 할 걸요? 기차표는 끊었어요?"
 "... 네 감사합니다."

 아주머니의 뒷 말은 다 듣지도 못 한 채 허공만 바라보며 비어 있는 자리에 털썩 주저 앉았다. 정동진, 살아 생전 엄마가 가고 싶어 했던 바다였다. 몸이 다 낫고 나면

건강한 모습으로 즐기자 했던 그 바다를 나 홀로 가게 될 줄은 전혀 예상치도 못 한 결말이었다. 공허한 눈빛으로 기차표를 끊기 위해 매표소를 둘러 봤지만 사용 해본 적이 거의 없는 기계만이 보이자 한숨만이 나올 뿐이었다. 그럼에도 포기 않고 주위를 둘러본 결과 간신히 대면으로 표 끊는 곳을 발견하곤 터덜터덜 걸어가 직원 분께 말을 걸었다.

"정동진 행 기차 언제 탈 수 있어요?"

그는 나를 아니꼽게 바라보며 위 아래로 훑다가 이내 말을 떼기 시작했다.

"5시 40분 있긴 한데...... 돈은 있어요?"

현재 시각은 4시 30분, 남은 돈은 만 사천원. 반신반의한 심정으로 현금을 손에 쥔 채 그에게 돈을 건네니 순식간에 인상을 구기며 장난 하냐는 소리와 함께 어른을 놀리면 안 된다는 온갖 막말과 함께 목숨만큼 귀한 돈을 집어던졌다. 힘 없이 떨어지는 그 돈을 바라본 순간 나의 희망도 무너지는 기분을 느꼈다. 처참한 내 신세를 대변이라도 하듯 구겨진 지폐들이 나의 인상을 더욱 구기게 만들었고 그것들을 주섬주섬 품에 담는 모습이 거지가 따로 없었다. 왜인지 눈물이 날 것 같은 기분에 입술을 세게 한 번 깨물었다. 입술에선 새 빨간 피가 흘러 입 안을 비릿하게 가득 채웠다. 입 안에선 시큼 하면서도 씁쓸한 맛이 조화를 이뤘고 마지막 남은 천 원을 주우려는 순간,

"성인 두 명 되죠?"

한 여자의 목소리가 나의 고막을 감쌌고 고개를 들으려는 찰나, 나의 손목을 끌고 앞서 가는 여자로 인해 난 그저 뒤통수를 바라보며 무작정 걸을 수 밖에 없었다. 뒤에선 혀를 끌끌 차는 소리가 들려왔고 엄마 같은 포근한 손을 슬쩍 바라보다 또 다시 눈물이 차오를 듯한 기분에 그녀의 손을 감싸 쥐었다. 그녀는 계속해서 앞을 향해 걸어가고 있을 뿐이었다. 그냥 그렇게 걸어갈 뿐이었다.

.

"... 감사합니다."
"아니에요. 괜찮아요? 많이 놀랐을 텐데."
"네 괜찮습니다. 도와줘서... 너무 감사합니다."

붉어지는 귀를 감싸쥐곤 그녀의 눈을 마주치지도 못 한 채 기차표만 만지작 댔다. 그녀는 더 이상 아무것도 물어보지 않았고 다른 대화로 주제를 바꿨다.

"학생인가 보네요."

"... 그런 셈이죠."

"혼자 가는 건가요?"

"..... 네 맞아요."

"나중에 강릉에 비 오는 거 같던데 우산은 있어요?"

"네 챙겨 왔어요, 또 비가 오나 보네요."

"감기 안 걸리게 조심해요 학생. 요즘 일교차 심해서 감기 걸릴라. 아, 초콜릿이라도 줄까요?"

나의 손에 쥐어진 작은 초코 과자가 이토록 따스할 수가 있는 것인가, 나에게 초코를 건넨 손은 왜 이토록 엄마의 손길과 같은 것일까, 자꾸만 주체할 수 없는 감정이 나를 괴롭게 만들었다. 눈물을 참기 위해 부르르 떨리는 몸의 움직임을 느꼈는지 그녀는 나를 조심스럽게 두드려 주기 시작했다. 이내 두 눈을 질끈 감곤 점점 차가워지는 듯한 심장의 울림을 느끼며 그녀의 온기를 느꼈다.

"학생 슬슬 기차 타러 가야 돼요. 무슨 일인지는 모르겠지만 울고 싶을 땐 마음껏 울어요. 세상은 아직 우릴 버리지 않았으니까."

그녀는 나의 등을 토닥여 주곤 유유히 자리에서 벗어났다. 턱에 고인 눈물이 채 떨어지기도 전에 고개를 휙 들어 올려 그녀의 멀어지는 뒷통수를 다시 바라보았다. 그제야 위태롭게 매달려 있던 눈물이 땅으로 힘차게 떨어졌다.

.

▪잠시 후 정동진 행 열차가 출발 하오니……

그렇게 그녀는 만나지 못 했다. 잠깐 스쳐갔던 인연으로 정의하면 될 듯 했다. 잠깐 만났던 그녀에게 난 어째서 눈물까지도 보인 것일까. 포근한 인상과 가식 없는 호의, 부드러운 체향 등등 나에게서 풍겨져 오는 것과는 정반대여서 인걸까, 또 다시 무겁게 가라 앉는 눈꺼풀이 새삼 웃기게 느껴져 살짝 미소를 지었다. 아직도 먹지 않아 손에서 끈적이는 초콜릿이 나의 손도 내심 따뜻하다는 것을 느끼게 해줬다. 이 따뜻함과 끈적함이 가시기도 전에 포장지를 벗겨 이미 녹은 초콜릿을 입 안에 넣자 말로 형용할 수 없는 달콤함이 나의 육체를 집어 삼켰다. 이렇게라도 나는 따뜻한 사람이 될 수 있었다. 나와는 어울리지 않는 달콤함과 따뜻함을 입에 머금고 어느덧 또 다시 잠에 들었다. 이번 꿈에선 초콜릿을 들고 있는 엄마가 나왔다.

내가 지닌 따뜻함은 아무것도 아니었다.

▪... 정동진 역에 도착.........

번쩍 하는 소리와 함께 잠에서 깨어 났다. 중앙에 떠 있던 태양은 어느새 내려오고 있었고 하늘색으로 빛나던 하늘은 벌써 주황빛을 뿜내고 있었다. 습관처럼 뒷통수를 만지작 거리며 이미 굳어 버린 딱지를 만지작 거리곤 기차에서 내렸다. 이제 어디로 가지, 비가 또 오려나 라는 생각을 하다 바라본 하늘은 그새 회색 빛을 보였고 투명 우산을 가져온 나에게 감사 인사를 전했다.

삼삼오오 가족들이 웃음을 내뱉으며 한 우산 속에 들어가 비를 피하고 있었다. 시큰 거리는 가슴을 애써 꾹 누르며 빗속을 걸었다. 앞만 바라보며 걷다 어디선가 느껴지는 바다 향기에 고개를 휙 돌렸다. 달에 바다가 있다면 이런 느낌일까. 멍하니 바다를 바라보다 시선을 다시 정면을 향해 돌린 후 어디로 향하는 지도 모를 발을 따라 추적추적 걸어갔다. 얼마나 걸었을까, 더 이상은 걸음을 옮기고 싶지 않아 아무 골목이나 들어가 쭈구려 앉았다. 저녁 밥은 고기 먹자는 말, 비가 많이 오니 호텔에 들어가 샤워를 해야 겠다는 말, 다리 아프다고 업어 달라는 말 등등 모든 대화를 음침하게 듣고 있는 내가 한심해져 실소가 터져 나왔다. 실소가 잠잠해질 때 즈음 거리의 소음도 잠잠해졌다. 이런 침묵이 익숙하다는 듯 끊고 싶었던 담배를 주섬 주섬 가방에서 꺼내 손에 쥐었다.

"...... 아 맞다."

담배를 챙겼지만 라이터를 챙기지 않았다는 사실이 생각 났다.

"하......"

또 다시 땅이 꺼질 듯한 깊은 한숨을 뱉은 뒤 쓰고 있던 우산도 땅에 내려놓곤 허공을 보며 헛웃음을 지었다. 이게 평소의 일상인데 왜 이렇게 답답하고 억울한 기분을 느끼는 것일까, 이내 욕을 내뱉고 머리를 감싸 쥐었다. 내가 전생에 무슨 잘못을 저질렀기에, 내가 도대체 어떤 나쁜 짓을 했기에 이렇게도 되는 일 하나 없이 불운만을 쥐어

주는 것인가. 징크스, 그것 때문이라 생각 했다.

기차에서 잠이 드는 게 아니었는데. 눈물을 힘껏 쏟아내니 그 액체가 눈물인지 빗물인지도 알 수 없었다. 차라리 잘 된 일이었다. 쪽팔림을 느낄 필요는 없었으니까. 실컷 눈 물을 흘리다가 속으로 눈물을 내뱉었다. 그제서야 수치가 느껴졌다는 것이었다. 그렇게 숨이 갑갑해질 정도로 눈물 을 삼켜내자 어느 순간 비가 나에게 떨어지지 않는다는 것을 깨달았다. 반신반의한 심정으로 하늘을 올려다 보니 처음 보는 사람이 내 앞에 서 있었다. 반묶음에 오버핏 흰 색 반팔티, 아디다스 츄리닝 바지, 삼선 슬리퍼에 부르터 진 입술을 한 그 사람을 보고 직감적으로 알 수 있었다.

나와 비슷한 결을 지녔다는 것을.

 "불 줄까?"

 그 사람은 나를 전부터 알고 있었다는 듯 반말을 하며 한쪽 눈썹을 치켜 올리곤 내 앞에 쭈구려 앉은 뒤 말을 이어 나갔다.

 "담배도 필요 하겠는데 하나 줘?"

비 때문에 축축해진 담배가 쥐어져 있던 걸 알았는지 그 사람은 새 담배를 꺼내 나에게 건넸다. 담배를 내미는 그 사람의 손은 굳은 살 범벅에 자해라도 했는지 작게 자리 잡은 흉터가 어떤 생활을 했는지 대충 파악할 수 있었다. 난 주춤 거리다가 팔이 아프다는 말 같지도 않는 장난을 듣곤 서둘러 담배를 받았다.

 "이런 골목에서 울고 있을 정도면 많이 슬픈 일이었나 보지?"

친히 불까지 붙여주는 이 사람은 내 곁을 떠날 생각을 하지도 않는지 자신도 담배에 불을 붙여 있는 힘껏 연기를 허공에 날렸다. 연기는 춤을 추며 저 높은 곳으로 사라졌다. 난 멍하니 사라지는 연기를 바라보다 땅으로 시선을 옮기곤 힘껏 연기를 내뱉었다. 나의 연기는 땅 아래로 깊게 추락 하다가 잔잔히 허공으로 올라오며 흔적을 지웠다. 잠깐 동안의 정적이 우산으로 떨어지는 빗 소리를 강조시켰다. 불안정한 리듬을 타며 떨어지는 빗방울 소리를 듣고 있다가 그 사람의 눈을 바라보며 입을 뗐다.

 "근데 누구신데요 당신?"

가까이서 본 이 사람의 눈은 묘하게 밝은 갈색 빛으로 반짝이고 있었고 귀도 많이 뚫었는지 셀 수 없는 양의 귀걸이가 시야에 들어왔다. 염색을 몇 번 했는지 뻗쳐 있는 머릿결과 오른쪽 목에 새겨진 작은 타투까지, 아무리 봐도 정상적인 집 안의 사람은 아닌 듯 보였다. 이 사람은 흥미롭다는 듯 나의 두 눈을 빤히 바라보다 머리를 몇 번 만진 뒤 말을 뱉었다.

"나 이수현. 열아홉인데 넌 몇 살?"
"...... 이한빈, 열아홉이에... 요."

나의 끝 맺음에 이상함을 느꼈는지 이 사람은 그게 뭐냐는 식으로 눈물까지 고이며 박장대소를 하는 게 아닌가, 이 사람의 반응에 괜시레 귀가 붉어져 또 다시 연기를 힘껏 뿜었다.

"반말 하면 되겠네. 그치? 인정?"

이 사람은 나의 어깨를 툭툭 치며 자신에 대해 이야기를 하기 시작했다. 비 오는 날을 너무 싫어하느니, 생크림 머핀을 먹었는데 너무 달아서 자기 스타일은 아니었다니, 너무 귀엽게 생긴 강아지를 안으려 했더니 강아지가 물어 팔에 상처가 났었다니 등등 시답지 않는 대화를 하는 이 상황이 싫게 느껴지진 않았다. 그 사람은 아예 자리까지 깔고 앉아 자신의 엉덩이가 축축해 지고 있는지 모르는 듯 하였고 나 역시도 저려오는 다리를 펴고 앉아 얘기를 경청했다. 어느덧 담배는 거의 다 타들어 가고 있었고 이 제 가 봐야겠다는 이 사람의 말을 듣곤 이제 어디에서 잠 을 청하지, 노숙이라도 해야 하는 건가 등등의 잡 생각을 하며 자세를 고쳐 앉으니 이 사람은 나를 내려다 보며 말 을 했다.

"일어나, 가자."
"..... 응? 어디로?"

이 사람은 어깨를 으쓱거리며 나에게 손을 건네 일으킨 뒤 자신의 엉덩이를 털어내며 말을 이어 나갔다.

"어디긴, 우리 집이지."

그제서야 젖어 있던 이 사람의 등을 바라 보았다. 나를 조금이라도 덜 젖게 하기 위해서 우산을 내 방향으로 기 울였던 것이 생각났다. 이 사람의 흰색 티는 이미 축축해져 물이 뚝뚝 떨어지고 있었고 뽀송한 정수리, 옆 머리와 달리 물이 뚝뚝 떨어지는 뒷 머리가 나의 심장을 따갑게 만들었다.

"다 젖었어 뒤에."
"뭐 어때."

이 말을 끝으로 그 사람은 나의 등을 감싼 뒤 골목에서 빠져 나왔다. 온갖 당황스러운 감정들이 뒤엉켜 혼란으로 몰고 갔다. 처음 본 사람을 위해 이렇게까지 희생을 한다고? 나로서는 전혀 상상할 수도 없는 행위였다. 아버지라는 사람과 둘이 살면서 나는 나를 지키기 위해 살았기 때문에 희생 하는 일이 전혀 없었다. 이는 혼란을 넘어선 패닉이었다. 눈을 좌우로 굴리며 발길을 따라가자 이 사람은 나를 바라보며 씨익 웃다가 비에 젖겠다는 말과 함께 나를 더욱 우산의 중심으로 옮겼다. 함께 닿이는 부위가 점점 따뜻해지는 것을 느꼈고 이 따뜻함을 계속 느끼고 싶어 아무 말 없이 이 사람을 따라갔다. 따뜻함이 느껴지니 머릿속엔 아무런 생각도 들지 않았고 떨어지는 빗소리를 들으며 소수의 사람들 사이를 힘차게 걸어갔다. 왜인지 더욱 더 오래 걷고 싶다는 생각이 들었다. 걷는 걸 싫어하는 내가.

.

얼마나 걸었을까 저 멀리 작은 불빛이 시선을 끌었다. 그곳은 내가 살던 아파트보다 훨씬 더 낡아 있었고 아니, 애초에 그 형체가 건물인지도 알아 보기 힘들 정도였던 거 같았다. 컨테이너 박스, 그것으로 형용이 가능했다. 뻑뻑한 철문을 열자 기분 나쁜 쇠의 소리가 나의 고막을 고통스럽게 만들었다. 그 공간에 들어서자 곰팡이로 가득 매워진 벽지는 비가 와서 그런지 흉측스러운 색상으로 바뀌어 있었고 혀를 차는 소리와 함께 불을 켜자 내부의 상태는 말이 아니었다. 분리수거를 하지도 않는지 이리저리 뒹굴어져 있는 쓰레기들과 썩은 음식물 주변을 빙빙 날아 다니는 날파리, 먼지 뭉치와 끈끈하게 붙어 있는 분비물까지. 말로 형용할 수 없는 냄새가 정신을 번쩍 들게 만들었다. 어디에 발을 옮길지도 알 수 없는 이곳에서 수현은 태평하게 콧노래를 부르며 들어오라는 손짓만 반복했다. 이 사람은 쓰레기 더미를 넘나들며 냉장고를 뒤졌고 이 모든 상황을 멍하니 바라 보았다.

"먹을 게 콜라랑 감자칩만 있는데 괜찮아?"

나의 대답을 듣기도 전에 수현은 어느새 종이컵과 담배를 쥐곤 자신의 옆자리를 툭툭 치며 앉으라는 시늉을 하기 시작했다. 피식 웃으며 수현의 옆자리로 가서 주뼛주뼛 앉았다. 이 사람은 라이터를 몇 번 딸깍 거리더니 핀지 얼마 되지도 않은 담배를 또 다시 피우기 시작했다. 연기는 또 다시 허공을 향해 힘 없이 날아갔고 연기와 담배를 좌우로 바라보다 이내 종이컵으로 시선을 옮겼다.

"너 가출 했지?"

꿀꺽 꿀꺽 삼키던 콜라가 기도에 걸린 듯 참을 수 없는 기침이 나오기 시작했고 놀란 이 사람은 나의 등을 두드려주며 허둥지둥 거렸다. 이내 기침이 잠잠해지자 입을 한 번 닦곤 말을 내뱉었다.

"... 그런 셈이야."

수현은 흥미롭다는 듯한 눈빛을 하곤 고개를 끄덕 거렸다. 이내 갈증이 도는 듯 페트병에 들어 있던 콜라를 꿀꺽 꿀꺽 마시다가 병을 세게 탁자에 내려놓곤 말을 했다.

"당분간 같이 살래?"

"...... 뭐?"

"나도 어차피 엄마 아빠 없어. 혼자 살고 있긴 한데 돈도 뭐 어찌 어찌 벌고 있고 보 일러도 돼. 물도 따뜻하게 나오고.

"혼자 산지 얼마나 됐는데?"

"너가 생각한 만큼보다 오래 됐을 걸."

"...... 너 원래 남을 이렇게 집에 들여?"

수현은 고개를 갸웃거리며 담배를 힘껏 피우곤 벽을 향해 시선을 거뒀다.

"글쎄?"

수현은 알 수 없는 말을 하곤 나도 더 이상 질문을 하지 않았다. 또 다시 빗 소리만 들리는 정적이 집 안을 가득 매웠다. 난 손가락을 꼼지락 대다가 입을 뗐다.

"집 정리 좀 할까?"

수현은 바람 빠지는 웃음을 지으며 네네 거리는 시늉을 하곤 담배 불을 끈 뒤 주섬주섬 자리에 일어났다. 쓰레기 분리수거와 화장실 정리, 곰팡이 정리 등을 어느 정도 하고 나니 완전히 돌아오진 않았지만 어느 정도 사람이 거주하는 공간인 것은 드러나기 시작했다. 대충 정리된 이곳을 보니 왜인지 첫 이사를 왔던 일이 생각이 나 괜시레 마음이 오묘해졌다.

"여기 이렇게 깔끔한 거 처음이야. 너 정리 좀 하는데?"

수현은 나의 머리를 대충 헝클인 뒤 비를 맞아 찝찝 하다며 화장실에 들어가 샤워를 하기 시작했다. 이 사람이 샤워를 하는 동안 공간을 대충 살펴 보니 정말로 혼자서 생활 하는지 누군가의 흔적은 전혀 보이지 않았고 생활용품도 터무니 없이 부족했다.

"...... 2022년?"

2년 전의 달력이 왜 아직도 남아 있는지 곰곰이 생각 해보다가 수현과의 대화를 떠올렸다. 가출 한 뒤 달력 조차도 바꾸지 않았던 것이다. 수현의 생활력이 그동안 얼마나 바쁘게 살아 왔는지를 알 수 있었다. 차마 정리 되지 않았던 옷 더미를 살짝 건들여 보니 노랗게 바래진 봉투가 힘 없이 빠져 나왔다. 봉투 안을 빛을 통해 비춰서 보니 5만원 몇 장이 들어 있었다.

"... 월급... 인 건가."

별 대수롭지 않게 생각하며 봉투를 다시 옷 더미 안으로 집어 넣곤 마저 집을 둘러 봤다. 독촉증이나 딱지도 없었고 터무니 없이 부족한 생필품만 제외 하면 그런대로 꽤 살만한 집이었다. 대충 집을 훑어 보곤 자리에 축 늘어지듯 앉았다. 왜 나를 도와준 거지? 내가 그렇게 불쌍해 보였나? 시계를 슬쩍 보니 시간은 벌써 새벽 1시를 향해 가고 있었다. 회색 빛으로 보이던 하늘은 어느새 검정 색으로 물 든지 오래였고 비로 인해 선선한 바람이 나의 볼을 간지럼 피웠다. 그 때, 수현이 기분 좋은 한숨을 쉬며 씻으라는 말과 함께 화장실에서 빠져 나왔다. 수현이 빠져 나온 화장실에선 후끈한 연기가 나오고 있었고 간신히 엉덩이를 떼곤 집에서 챙겨온 속옷을 들고 화장실로 향했다.

열기가 다 빠지지 않은 화장실은 너무나도 따뜻했고 그대로 잠 들 뻔한 정신을 간신히 깨운 뒤 샤워기의 물을 틀었다. 우리 집에선 나오지 않던 뜨거운 물이 나를 살아 있게 만들어줬고 왜인지 서글퍼진 기분에 화장실 천장을 바라 보았다. 생각 정리를 한 뒤 거의 들어 있지 않은 샴푸와 바디워시를 치덕 치덕 바른 뒤 거칠게 세수를 했다.

비에 젖어 있던 머리와 몸이 씻겨져 나가자 완전히 긴장이 풀려 버렸고 서둘러 양치질을 한 뒤 화장실을 빠져 나왔다. 샤워를 하고 나오니 얇은 이불 한 장과 퍽퍽해 보이는 베개 한 개가 실소를 터트리게 만들었다.

"왜 웃어?"
"그냥."

수현은 코웃음을 한 번 내뱉곤 자신의 옆을 툭툭 치며 가까이 오라는 식으로 대했다. 따스함을 느껴본 게 얼마만인가. 엄마가 죽고 난 뒤는 늘 홀로 긴 밤을 지새우며 멍하니 보냈는데, 나를 반겨주는 사람이 있다는 현실이 눈물을 차오르게 만들었고 그것은 나도 모르게 묵직하게 땅으로 떨어졌다. 나의 눈물샘은 마르지도 않았는지 뜨겁게 쏟아져 내렸다. 긴장이 완전히 풀린 것일까, 체온 마저도 펄펄 끓는 기분이 들어 헉헉 거리는 신음과 함께 휘청 거렸다. 그 사람은 당황이라도 한 듯 다급히 자리에서 일어나 나에게로 다가왔고 차가운 냉기가 온 몸을 감싸는 게 느껴졌다. 나를 흔드는 감촉이 느껴졌지만 그럼에도 나의 몸은 물처럼 찰랑 거리기만 할 뿐 아무런 반응을 할 수 없었다. 계속 해서 나를 부르는 듯한 울림이 들렸지만 오히려 그 소리는 자장가라도 된 듯 나를 깊은 꿈 속으로 몰고 갈 뿐이었고 울림과 감촉이 잠잠해질 무렵, 나는 푹신한 바닥에 완전히 닿였다.

.

눈을 뜨니 벌써 해가 떴는지 파란 빛 하늘이 나를 반겼다. 간만에 반기는 파란 하늘을 감상 하기도 전에 습관처럼 시계를 바라 보니 10시를 향해 움직이고 있었고 옆을 돌아 보니 내 옆엔 아무도 없었다. 따뜻한 열기도, 차가운 열기도. 어제가 어떻게 지났는지도 모를만큼 순식간에 지나가 상황을 마저 정리하기 위해 머리를 잔뜩 굴렸다. 하지만 아무리 생각해도 우연이라고 하기엔 모든 게 너무 설계된 상황이었고 또 다시 아파오는 머리 때문에 생각을 멈춘 뒤 집을 둘러 봤다. 어제와 비슷한 듯 묘하게 다른 듯한 이질감이 나를 감쌌다. 묘하게 풍기는 낯선 사람의 냄새가 코 끝을 간지럼 피웠다. 텁텁한 스킨의 냄새와 비 특유의 싸늘한 냄새, 젖은 토지의 냄새가 익숙하지 않은 분위기를 조성 했고, 눈썹을 찌푸리며 냄새가 나는 곳을 향해 다가갔다. 하지만 그 공간에는 아무 것도 없었다. 한 톨의 먼지 조차도.

"뭐야 일어났네?"

순간, 벌컥 하는 소리와 함께 수현이 모습을 드러냈다. 그 사람은 달리기라도 하고 왔는지 땀에 흠뻑 젖어 있었고 간간히 얕은 숨을 여러 번 내쉬며 이마에서 흐르는 땀을 닦아 냈다. 수현의 손에는 검정 비닐봉지가 달랑 거렸고 봉지를 들고 있던 그 사람에게선 흙 냄새가 나지 않았다.

"어디 다녀왔어?"
"나 몸이 좀 찌뿌둥 해서 러닝 좀 하고 왔지."

수현은 땀에 젖은 신발을 벗으며 씻고 오겠다는 말을 하곤 화장실로 급하게 몸을 집어 넣었다.

"..... 일찍 일어났나 보네."

이미 들려오는 샤워기의 소리로 인해 나의 말은 물과 함께 바닥으로 파묻혔다. 그 사람의 콧노래를 듣자마자 급하게 자리에서 일어나 비닐을 뒤지기 시작했다. 그 안에는 몇 개의 빵과 음료가 들어 있었고 가격대가 꽤 높은 빵과 음료를 본 나는 멍하니 봉지만 들고 있을 뿐이었다. 이내 정신을 차리곤 봉지에 손을 넣어 물품들을 하나씩 꺼냈고 다양한 종류의 빵이 나의 눈을 빙빙 돌게 만들었다.

"빵을 어떻게......"

개운 하다는 소리와 함께 화장실의 문이 벌컥 열렸다. 그
소리에 깜짝 놀란 나는 문 소리가 들리는 쪽을 바라 보았
고 수현은 나의 반응을 예상이라도 했다는 듯 같이 먹자
며 말을 걸었다.

"빵 어떻게 산 거야? 돈 있었어?"
"응 나 돈 있다고 했잖아. 그래서 사왔지?"
"알바 같은 거 하는 거야?"
"응 그치?"

수현은 머리를 털어내며 먼저 먹으라며 나를 재촉했다.
에라 모르겠다 빵이나 먹자 하는 심정으로 제일 위에 올
려져 있는 빵을 집어 식탁에 놓았다. 봉지를 급하게 뜯어
맛 본 빵은 감격스러웠다. 그동안의 퍽퍽한 빵과 달리 크
림빵의 맛은 황홀했다. 몇 번 씹지도 않고 빵을 넘기니 잔
기침이 나를 괴롭혔다. 조금씩 새어 나오는 기침을 막기
위해 발악하자 건네 받은 시원한 오아시스가 나의 목을
타고 몸 깊숙이 스며 들었다. 가루 범벅이 된 입 주변을
닦고 옆을 바라보니 등을 두드려주는 수현이 내 시야에

보였다. 그 사람은 피식 웃으며 천천히 먹으라며 나를 다독였다. 마지막 빵을 아쉽게 삼키곤 입을 뗐다.

"운동 되게 열심히 하고 왔나 봐?"
"응. 매일 달리기 해. 개운 하잖아 땀 흘리면."

수현도 빵의 비닐을 뜯어 크게 베어물자 차마 입에 다 들어가지 못 한 크림이 입 주변에 가득 묻어 지저분 해졌다. 나도 모르게 손을 뻗어 그 크림을 내 입 안에 집어 넣자 달콤한 설탕의 맛이 내 입을 가득 채웠다. 황홀감을 마저 느끼기도 전에 수현은 피식 웃으며 휴지를 달라는 시늉을 했다. 지저분하게 널부러져 있는 두루마리 휴지를 뜯어 수현에게 건네자 거칠게 입을 문지르곤 그것을 바닥에 휙 던졌고 휴지는 힘 없이 바닥에 떨어졌다.

"나 좀 있다가 잠깐 나갔다가 들어 올게."
"어디 가는데?"

수현은 가루로 얼룩진 손가락 마디 마디를 옷에 문지르곤 자리에서 일어나려는 시늉을 하며 어디서 튀어 나왔는지도 모를 담배를 입에 물곤 고개를 까딱 거렸다. 나 역시도 입 안의 허전함을 감출 수 있는 무언가가 필요 했기에 주섬주섬 자리에서 일어나 수현의 손에 들린 담배를 손에 쥐곤 함께 집을 빠져 나왔다. 문이 닫힌 그 공간은 처음부터 아무 사람이 없었다는 듯

고요했다.

.

 날씨는 구름 한 점 없이 아주 맑았고 너무도 파란 하늘에 나도 모르게 인상을 찌푸리며 햇빛을 손으로 막았지만 손 틈새로 들어오는 햇빛이 엄청난 고통이었고 수현은 나의 팔목을 끌곤 골목길로 자리를 옮겼다. 여전히 햇빛이 강하게 춤추고 있었지만 한결 나아진 시야에 만족하며 참아 왔던 담배를 있는 힘껏 뿜어냈다. 금연을 해야 한다는 생각을 몇 달 째 하고 있지만 이미 그 쾌락에 중독 되어 버린 나는 더 이상 돌이킬 수 없이 멀리 와 버렸고 체념하듯 공허한 눈으로 또 다시 연기를 뿜어냈다. 담배 연기 안에선 과거의 내 모습이 보이기 시작했다. 아버지라는 감옥에 갇혀 헤어 나오지 못 하고 울면서 밤을 보냈던 모습, 엄마라는 추억에 잠겨 빠져나오지 못 해 벌벌 떨던 모습, 죽고 싶어서 목을 달기 위해 의자에 서서 심호흡을 하고 있던 모습 등등 비참하면서도 찬란했던 과거의 모습들이

뒤엉켜 보기 흉하게 하늘을 가로 질렀다.

"이거 다 피우면 너 먼저 들어가."

회상을 깨트리는 목소리가 날 놀라게 했다.

"응? 너는?"
"가야 할 곳이 있어서 같이 못 들어 갈 거 같아. 너 먼저
들어가."
"얼마나 걸리는데?"
"좀 오래."

수현은 먼저 간다는 말을 남기곤 거의 다 피워 가는 담배
를 지려 밟곤 시야에서 사라졌다.

.

처음부터 정을 많이 주는 사람은 아니었다. 받은 만큼 주
고 준 만큼 받는 사람, 이게 나였다. 하지만 수현은 집과
음식, 옷 등을 대접 해줬고 그것을 통해 구원을 받은 듯한
난 그 이상의 무언가를 해주고 싶었다. 하지만 알 수 없는
거리감이 욕심을 잠재웠다. 그래도 나에 대한 구원은 변하

지 않는 사실이니 은혜를 갚기 위해 선을 넘지 않기로 결심했다. 그렇다,

이것이 수현과 나의 거리다.

지친 걸음으로 텅 빈 공간에 도착한 순간, 나의 체온은 또다시 비정상적인 뜨거움으로 치솟기 시작했고 크게 한숨을 내쉬자 뜨거운 열기가 그 공간을 가득 매웠다. 마치 이 공간은 사우나라도 된 듯 새어나갈 구멍도 없이 뜨거운 열기로 찼고 나는 서서히 쓰러져 갔다. 간만에 따뜻한 집에서 부드러운 빵을 먹어서 그런 것일까, 햇빛 쨍쨍한 하늘 아래에 있어서 그런 것일까, 적응을 못 한 내 몸이 신진대사를 진행 시키지 못 하는 것일까, 온갖 생각을 하다 신발 벗을 힘조차 없어진 나는 현관 앞에 주저 앉아 차가운 철문에 몸을 기댔다. 나의 체온과 대조 되는 차가움이 나의 열기를 서서히 가라 앉히는 듯 했으나 그마저도 잠시 뿐이었다. 쓰러질 듯한 몸을 간신히 일으켜 세워 주춤거리는 걸음으로 거실에 도착하니 아침에 제대로 정리도 못 한 이불이 나를 반겼다. 손을 씻을 틈도 없이 그 이불 안에 들어가니 한기가 드는 듯 태양처럼 뜨거운 얼음장 위에 서 있는 기분이었다. 무거운 눈꺼풀을 결국 이겨내지 못 하고 깊은 어둠으로 빠져 들었다.

"엄마…… 나 아파……. 너무 너무 아파……."

혼잣말로 중얼중얼 거리며 어린 아이처럼 칭얼 거렸다. 아직 마음 만큼은 엄마와 함께 하고 싶은 아이인데 왜 내 몸은 벌써 이렇게 커 버린 것일까.

"뜨거워…… 엄마……"
"무서워…… 너무 무서워 엄마…… 엄마…………."

너무나도 긴 낮이었다.

.

시간이 얼마나 흘렀을까, 눈을 뜨니 해는 지기 직전이었고 있는 힘껏 숨을 내쉬니 그새 열이 또 내렸는지 평소와 같은 온도의 숨이 쉬어지는 게 아닌가, 다행이라는 말을 반복하며 가슴을 쓸어 내렸다.

"일어났어? 뭐 좀 먹자 배고프다."

누군가의 말소리에 깜짝 놀라 뒤를 돌아보니 수현이 나를 바라보고 있었다. 수현은 나의 이마에 손을 대어 체온을 확인하곤 한숨을 내쉰 뒤 자신의 휴대폰을 충전기에 꽂아 두며 나의 안부를 물었다. 그 사람은 집에 온 지 꽤 된 듯 보였고 새로운 상처가 나의 시선을 뺏어갔다.

"너 다쳤어?"

수현의 이마를 걷어내니 숨겨져 잘 보이지 않던 상처가 제법 기분 나쁜 문양으로 자리 잡혀 있었다. 이마의 딱지 가 굳어 기분 나쁘게 붙어 있었고 수현은 눈을 휘둥그레 뜨다가 싱긋 미소를 보인 뒤 나의 손을 낚아챘다.

"아까 넘어졌는데 좀 까졌어. 근데 안 아파."

수현은 이 말을 끝으로 상처를 손가락으로 가리키다가 아 프지 않다는 걸 증명하기 위해 손으로 상처를 문지르려는 걸 잡혀 있지 않은 다른 손으로 낚아챘다.

"만지지 마. 흉질 수도 있어."
"이것도 흉졌는데 뭐."

수현은 잡혀 있지 않은 손을 들어 깊숙하게 자리 잡힌 흉터를 웃으며 보여주었다. 그 웃음에 얼마나 많은 상처가 담겨 있는지 알 듯한 기분에 나는 더 이상 아무런 말도 하지 않았고 배고프다는 말과 함께 자세를 고쳐 앉았다.

"약 먹어. 이거 다 먹고."

수현은 이미 식사를 끝냈는지 손가락을 쪽쪽 빨며 해열진통제를 건넸다.

"나 아픈 거 어떻게 안 거야?"
"얼굴에 다 쓰여 있어. 아파요 약 좀 주세요 라고."

수현은 나의 이마를 눌러 체온을 느끼곤 약 통을 좌우로 흔들며 약을 꺼낸 뒤 내 입에 가득 집어 넣었다. 달콤하면서도 쓴 맛이 나의 미간을 찌푸리게 만들었고 이내 찌릿찌릿 해지는 나의 관자놀이를 쓸어 내리곤 거친 숨을 내쉬었다. 그리곤 할 말이 생각이 나 수현의 손목을 강하게 붙잡으니 수현은 인상을 살짝 찌푸리며 날 바라보다 의문을 제기했다.

"왜 할 말 있어?"

수현의 눈을 똑바로 쳐다보며 말을 이어 나갔다.

"아까 어디 다녀 온 거야? 언제 들어온 건데?"

수현은 뒷통수를 긁적 거리며 경계를 푸는 듯한 자세를 취하며 시선을 다른 곳으로 옮겼다.

"그냥 아는 사람이 급하게 불러서 잠깐 만나고 왔어. 한 30분? 정도 얘기 하고 온 거야."
"그래? 난 또 뭔 일 있는 줄 알았어."
"왜 신경 쓰였어? 뭔 일 있을까 봐?"

수현은 입꼬리를 씨익 올리며 턱을 괸 뒤 나의 눈을 뚫어지게 바라 보기 시작했다. 그 시선을 이기지 못한 난 다른 곳으로 시선을 멀리 옮겼고 지금 느껴지는 이 뜨거움이 내 체온 때문인지 집 안의 온도 때문인지 알 수 없었다. 이내 약 기운이 서서히 몸을 지배하는 듯 노곤함이 점점 눈꺼풀을 감기게 만들었고 뚫어지게 바라보는 시선을 뒤로 한 채 또 다시 깊은 잠에 빠져 들었다.

그날 밤도 수현은 어디에도 없었다.

.

 이렇게 편안하게 누군가와 얽혀 살아가도 되는 것일까, 내가 감히 누군가의 생활에 침범해도 되는 것일까, 또 다시 찾아온 자기 혐오가 검은 공간에서도 나를 괴롭혔다. 누군가의 비명 소리가, 누군가의 질타가, 꼬리표처럼 따라 다녔다. 이제와서 이런 풍요라는 것을 누려도 되는 것일까, 단 한 번도 이렇게 지내본 적이 없었다. 작은 방에 식구 세 명이서 지내던 시절, 옷 사 입을 돈 조차 없어서 냄새 나는 옷을 여러 번 돌려 입던 시절, 불안감에 사로 잡혀 덩치 있는 성인 남성만 보면 흠칫 거리며 몸을 떨던 시절, 모든 것이 불안하고 불확실하던 시절에만 살던 내 모습이 아직도 눈 앞에 선명하게 그려지는데, 감히 부적응자 같은 내가 보일러와 따뜻한 물 먹고 살기 충분한 음식을 제공 받아도 되는 걸까, 계속 되는 자격지심과 혐오가 또 다시 스스로를 절벽 끝으로 몰게 만들었다. 너 까짓게 감히, 너 이렇게 살아 봤자 뭐 해, 그냥 너 나가서 살아라,

너 죽어.

 결론에 도달한 순간 음침한 웃음 소리와 함께 깨어나지 않을 것 같던 어둠에서 눈을 떴다. 거친 숨을 몰아쉬다 밖

을 둘러 보니 해도 뜨지 않은 캄캄한 어둠이 나를 비참하게 만들었다. 옆을 둘러 보니 차가운 바닥이 나를 반겼고 체온이 정상으로 돌아 왔는지 미지근한 이마의 온도가 수현이 만지던 손의 온기가 생각났다. 미친 듯이 고개를 좌우로 흔들며 정신을 깨우던 그 순간, 알 수 없는 역한 냄새에 구역질을 하며 화장실로 급하게 달려갔다. 변기 앞에 앉아 벌벌 떨며 앉았지만 아무 것도 나오지 않았고 찝찝한 기분만 남은 채 다리를 털고 거실로 나왔다. 하지만 계속해서 사라지지 않는 두통과 어둠 속에서 들리던 누군가의 목소리가 육체를 괴롭게 만들었고 참을 수 없는 고통에 이내 자리에 주저 앉았다. 거칠어진 호흡이 불안정한 리듬을 만들었고 계속 되는 이명 소리가 차라리 죽고 싶었다는 생각이 들게끔 만들었다.

이성을 잃은 사람처럼 주위를 계속 둘러보다가 콘센트 선을 발견하곤 그것을 강하게 집어 목에 감은 뒤 천장을 바라봤다. 왜인지 올려다 본 그곳에선 아버지라는 사람이 나를 바라보고 있는 듯 보였다. 그것을 빤히 바라보며 있는 힘껏 목을 강하게 조아맸다. 커억 소리와 함께 서서히 조여오는 숨통이 온갖 구멍에서 물이 줄줄 나오는 듯한 기분이 들었다.

점점 희미해지는 정신이 눈을 감기게 하려는 순간, 엄청난 굉음과 함께 문이 힘껏 열렸다. 귓가엔 고함을 지르며 손을 억지로 떼어 내리는 엄청난 압박감이 느껴졌고 마침내 나의 두 손이 떨어진 뒤 목을 감던 줄들이 느슨하게 풀린 순간 엄청난 양의 산소가 목구멍에 한가득 들어 오는 게 느껴졌고 참아냈던 숨통이 트이며 헛기침과 구역질이 반복된 침을 줄줄 흘려냈다. 등에 닿이는 따뜻한 손이 오르락 내리락 거리며 나의 호흡을 진정 시켰고 벌벌 떨리는 손으로 내 뒤에 서 있는 사람을 더듬거렸다.

"왜 그랬어 왜. 왜 그랬던 거야, 미친놈아!!!!!!!!"

그 사람은 나의 손을 강하게 움켜쥐며 풀린 동공으로 초점 없이 나를 바라보다 이내 따스한 품으로 감쌌다. 아직까지도 제 정신이 아닌 듯한 기분에 이곳이 지옥인지, 천국인지, 현실인지 아무런 구분이 되지 않았다. 나를 끌어안은 이 사람이 누군지도 정확하게 알 수 없던 그 상황에서 특유의 시큰한 담배 냄새와 축축한 땀 냄새가 나는 걸 보면 수현이라는 것을 직감적으로 알 수 있었다. 그제서야 찾아오는 안정감이 아기처럼 눈물을 쏟아내게 만들었고 수현을 처음 만난 날에 흘렸던 눈물과는 비교도 안 될 만큼, 그 사람의 어깨가 흠뻑 젖을만큼 목이 쉴 정도로 펑펑 울었다. 계속해서 진정 되지 않는 떨림이 그 사람에게도 닿은 걸까, 나를 더욱 더 강하게 껴안아 주며 혼잣말을 중얼거렸다.

"너 아직 가면 안 돼. 아직은 너무 빨라. 아직은, 미안해, 이한빈, 미안, 미안해 한빈아, 미안......"

뒷말을 다 하지도 못 하고 수현은 나의 어깨에 고개를 파묻으며 숨통이 조일 만큼 나를 짓누르듯 껴안았다. 몽롱한 정신 때문에 금방이라도 잠에 들고 싶었지만 그러지 말라는 수현의 말에 억지로 정신을 붙잡으며 서서히 잠잠해지는 떨림을 느꼈다. 계속해서 들리는 누군가의 심장 소리가 아직 살아 있음을 느끼게 해줬고 입을 떼려 했으나 한 바탕 울고 나서 그런지 목에서는 쇳 소리가 새어 나오기 시작했다.

"뭐가 그렇게 미안했던 거야?"

수현은 나의 품에서 고개를 들고 등을 쓸어내리며 말을 했다.

"너 힘든 줄 몰랐던 거."

"굳이 다 알 필요는 없잖아."

"사람 목숨이 달린거야. 죽을 뻔 했어 너. 내가 조금만 더 늦게 왔으면."

"늦은 시간에 어디 다녀 왔던 건데?"

"잠이 안 와서 밖에 나가서 바람 좀 쐬고 있었어. 그러고 나서 들어 왔는데……"

"내 목숨이 그렇게 소중해?"

몸을 덜덜 떨던 수현은 나를 자신의 앞에 제대로 앉혀 시선을 맞추곤 서늘한 시선으로 말을 이어 나갔다.

"너 죽기만 해 봐. 지구 끝까지 따라 갈 거야."

싸늘해진 공기가 닭살 돋게 만들었다.

"무섭네 너."

"목숨 가볍게 생각하는 너가 더 무서워."

수현은 그 말을 끝으로 나를 다시 품에 안았고 또 다시 미안하다는 말을 반복하며 자신의 품에 머무르게 했다. 어느 순간 잠이 들었는지 더 이상 그 사람의 목소리는 들리지 않았고 아주 희미하게 꿈에서 들은 듯 마냥 기억나는 말은 하나였다.

"...... 후회 할 수도 있어. 미안해

데칼코마니

처음엔 단지 거북함이었다. 어쩜 이렇게 자신만 불행 하다는 듯이 슬픔을 토해내다니, 나로서는 눈곱만큼도 이해되지 않았다. 이 나약한 새끼 보다는 내가 더 힘들었을 텐데.

그날도 어김없이 평소 같은 날이었다. 다만, 평소보다 더 많은 비가 내렸을 뿐.

"씨... 그만 좀 쫓아와. 개새끼야!!!!!"
"개니까 끝까지 쫓아가지 병신아."

평소처럼 땀 빠지게 운동을 하고

"하아... 너, 너는... 하아..."
"돈이나 줘 응?"

평소처럼 돈을 벌고

"너 같은 새끼는... 지옥 갈 거야..."

"집 가서 잠이나 자. 저승은 내가 알아서 정해."

평소처럼 집으로 갔다.

 평소처럼 들어간 집에는 아무런 온기도 느껴지지 않았고 이미 이 텁텁한 냉기에 익숙해질대로 익숙해진 그런 날이었다. 거친 숨을 몰아 쉬며 신발도 다 벗지 못 한 채 주머니에 들어있던 한 개비의 담배를 꺼내 불을 지핀 순간, 약속이라도 한 듯 강하게 울리는 천둥 소리가 담배의 맛을 더욱 잘 느끼게 해줬다. 멍하니 천장을 보며 담배를 거의 다 피워 갈 때 즈음 구깃구깃하게 접힌 종이 뭉치들을 꺼내 오늘의 수확을 확인했다.

 "3만 2천원......"

짜증이 뒤섞인 신음을 내뱉으며 돈을 저 멀리 날렸다. 돈을 날리자 힘없이 떨어지는 지폐 뭉치가 기분을 더럽게 만들었다. 고작 저 돈 벌기 위해 하루를 끊임없이 뛰어 다녔는가. 치밀어 오르는 짜증에 거칠게 머리를 쓸어 넘기곤 새로운 담배를 꺼내 들었다.

"좆같다 전부."

끄응 거리며 몸을 일으켜 세우니 집은 이미 난장판이 된지 오래였고 정리를 좀 해야 한다는 생각을 반복하며 담배 연기와 함께 집 안으로 걸어 들어왔다. 신발을 벗을 생각은 하지도 않고, 주섬주섬 널부러진 돈을 주운 뒤 곰곰이 생각 했다. 더욱 더 큰 돈을 벌 수 있는 방법을, 하지만 나는 학생인 신분에, 아무런 능력도 없는 내가 한 일은 도둑질 뿐이고 충분히 많은 돈을 벌고 있기에 그 생각은 잠시 미뤄두기로 했다. 오랜만에 들여다 본 내 손은 갖은 싸움으로 인해 생긴 굳은 살과 보기 안 좋게 남은 흉터밖에 없었다. 하지만 딱히 후회 되지는 않는다. 난 원래 이런 사람이었으니까, 한 번도 자신이 더럽다고 생각해본 적이 없었다. 오히려 대단하다면 모를까, 그 누가 부모도 없는 자식이 이렇게 돈을 잘 번다고 예상이라도 할까? 나의 어깨를 툭툭 치며 고생했다는 말을 되풀이 했다. 그것이 오늘의 내가 할 수 있는 가장 큰 보상이었다.

.

남들 다 가지고 있다는 명품, 애정, 가족 그딴 게 뭔지 모른다. 애초에 가져본 적도 없었으니 그것에 대한 열망

조차도 전혀 없었다. 불쾌함과 거북함 조차도 없는 나에게 있어서 유일한 불쾌감은 단 하나,

슬픔을 느끼는 사람.

 제일 한심하다고 느끼는 순간이다. 애정이나 가족이 있기에 그런 감정을 느낄 수 있다는 것이겠지. 하지만 난 지닌 것이 아무것도 없는데도 이렇게 돈 잘 벌고 보일러 잘 되고 화장실 쾌적한 그런 곳에서 살고 있는데. 슬픔에 관해선 모든 것이 삐딱하게 보였다. 물론 처음부터 이런 마음을 먹은 건 아니었다. 눈물로 지새운 밤이 훨씬 많았고 고통에 몸부림 치던 순간이 훨씬 많았다. 하지만 그렇게 괴로워하고 악 써봤자 달라지는 건 눈곱만큼도 없었고 그 순간 깨달았다.

세상은 아주 잘 돌아간다.

 누군가의 말로는 내가 엄마 아빠 없이 홀로 성장 했기 때문이라고 동정 어린 시선으로 바라보며 혀를 끌끌 찬다. 원하지 않는 임신과 출산을 한 뒤 비 오는 날 골목길에 버렸다고 들었던 거 같기도 하다. 기억도 흐릿한 까마득한 시절, 어떤 남성의 손에서 키워졌다는 소리도 얼핏 들었던

거 같기도 하다. 그 이후로 내가 뒷세계에 눈을 떴다나 어 쨌다나, 오히려 그런 사람이 있다면 감사의 절을 해야할 판이다. 그 덕분에 내가 악착 같이 살 수 있는 기회가 주 어진 거니까, 하지만 그 사람이 누군지 기억 해보려 해도 그 날의 기억만 오려낸 듯 그 시절은 아무런 향기가 느껴 지지 않았다. 유일하게 기억에 남은 것은 자랑스럽다는 듯 이 나의 머리를 쓰다듬던 그 손길과 짧은 대화 뿐이었다.

"수현아, 인생을 살면서 제일 필요한 게 뭐라고 생각 하 니?"

"돈."

"하하, 어린 게 벌써부터 돈이라고 하다니. 돈도 물론 중 요하겠지만 그것보다 중요한 건 따로 있단다."

"그게 뭔데?"

"마음가짐이다."

"무슨 말인지 모르겠어."

"너가 조금 더 크고 나면 알게 될 거야."

"무책임 해."

"하하, 설명 해줘도 지금은 이해 하기가 어려울 거야."

"... 이상해."

"다 깨닫게 되는 날이 올 거다."

틀림없이.

그의 접힌 눈꼬리는 언제 사라질 듯 위태로웠다. 아니나 다를까, 그 말을 내뱉은지 정확히 이 주 후, 그는 감쪽 같이 사라졌다. 그리고 나의 기억도.

.

  이수현

빼어날 수, 옥돌 현, 무슨 빼어나게 훌륭하다는 뜻이라고 했던 거 같기도 한데 나는 다른 의미로 훌륭한 아이였다. 이름까지 지어준 그 사람을 혼자 힘으로 거의 몇 년이나 찾으러 다녔다. 기억을 잃어 버렸어도 그 손길과 접힌 눈꼬리, 했던 일은 정확히 기억 났기 때문에.

그 당시 나의 나이는 고작 8살이었다.

  "눈 이쁜 사람 봤어?"
  웃는 거 이쁜 사람 봤어?"

어린 아이에게 도움을 준 사람은 아무도 없었다. 하나 같이 똑같은 핑계를 대며 대답을 회피 할 뿐이었다.

 "어른한테 반말 쓰면 안 된다."
 "꼬마야, 아저씨가 지금 좀 바빠서..."
 "저 경찰 아저씨한테 물어 보렴. 잘 알려주실 거야."

그렇게 얼마나 시간이 흘렀을까, 끝내 길바닥에 주저 앉은 나를 누군가가 데려 갔다. 버둥 거리며 그 손길을 거부 해야 했는데 고작 성인 남자의 절반도 채 되지 않은 신장을 지닌 내가 할 수 있는 건 아무것도 없었다. 아무리 그를 찾고 싶어도 아는 것이 없었던 나는 마음으로만 그 사람을 그리워 하기로 결심했다.

.

 "내려."
 "어딘데?"

침묵을 유지 하는 그를 뒤로 한 채 차분히 주변을 둘러보니 혼잡한 도시와는 다르게 초록빛이 한껏 물든 공간이었다. 은은하게 들리는 새 소리와 나무 사이에 우두커니 서 있는 그곳은

"너가 앞으로 지낼 곳이야."

고아원이었다.

"내가 여기서 왜 살아야 하는데?"
"안으로 쭉 들어가면 원장 선생님이 계셔. 가서 인사 드리고 나와."
"원장?"
"너 말이야. 나한테는 괜찮지만 원장님한테는 존댓말 해야 된다."
"존댓말이 뭔데?"
"요를 붙이면 돼."

생각보다 그곳은 넓고 불편했다. 수 십 명의 아이들이 수다스럽게 떠들며 노는 상황이 시끄럽기만 할 뿐 하루라도 빨리 이곳에서 벗어나고 싶었다. 차라리 나에게 아무런 관심도 주지 않는 그곳이 좋았다. 원장실까지의 거리는 무척이나 멀었다. 금색으로 빛나는 문고리를 잡아 당기자 보랏빛으로 영롱하게 빛나는 반지를 끼고 검정색으로 반짝이는 눈을 가진 한 여자가 나를 보며 의미심장하게 웃고 있었다.

"너가 이번에 새로 오게 된 아이구나?"

"안녕요."

"너 특이하게 말하는 구나?"

"왜 내가 여기에 있는데요?"

그녀는 고개를 까딱거리다 입을 뗐다.

"사람인데 사람답게 살아야지."

그녀의 눈은 마치 무언가를 뚫을 듯한 눈빛이었고 어쩐지 그 눈빛이 거부스럽지는 않았다. 바깥에서 조잘조잘 떠들고 있던 애새끼들보단 나았다.

"여기서 나 뭐 해요?"

"그냥 집처럼 있으면 돼."

"집?"

"음... 그러니까 밥 먹고 잘 자고 잘 놀면 돼."

"이상해요."

"아직 익숙하지 않아서 그런 거야. 살다보면 다 적응 될 테니까 걱정 말고 편안하게 쉬렴."

"편안하게... 그럼 하고 싶은 거 다 해도 돼요?"

"그럼. 여기가 이제 너의 집이란다."

편안하게, 그 말이 이렇게도 위협적인 말일 줄은 알지 못했다. 그 말에 혹한 난 정말 편안하게 뭐든 다 했다. 뭐든 지.

.

"너 그런 짓은 하면 안 되는 거야."
"왜요? 옛날엔 다 해도 된다고 했잖아요."
"도둑질은 별개지."
"편안하게 다 해도 된다 해서 그 약속을 지킨 거라고요."
"수현아, 이건 초등학생들도 아는 기본적으로 알아야 하는 상식이야. 너 지금 벌써 열여섯이야. 타인에게 피해를 주는 건 하면 안 되는 거야."
"뭐가 뭔지 모르겠어요. 어떤 게 피해를 주는 일인지도 모르겠고 어떤 게 도움을 주는 일인지도 전혀 모르겠단 말이에요."
"... 일단 잠깐 나가 봐."

아무것도 알 수 없었다. 규칙의 위력은 나를 이해 시킬 수 없었다. 도둑질이나 소매치기 같은 걸 해도 아무런 죄책감이 느껴지지 않았다. 예전부터 했던 짓이었으니까. 그 사람을 따라서, 그 사람을 보면서, 그 사람과 함께 했던 짓이었으니까. 나에겐 일상과도 같았던 이 짓이 나쁜 짓이라고 형용 시키는 게 전혀 이해가 되지 않았다. 어떻게 보면 그 사람과의 유일한 추억을 이렇게 말하는 게 이를 부득갈게 만들었다.

"... 가르쳐 주지도 않았으면서."

말이 고아원이지. 그곳은 방치 시설과도 같았다. 원장의 말의 한치의 오차도 없이 정말 밥을 먹고 잠을 자고 놀기만 하는 공간이었다. 그 중에서도 인간성이 길들여져 있거나 독서를 많이 한 아이들이 서서히 나이를 먹어 가면서 자신보다 어리거나 친한 동급생에게 글자나 문법, 영어에 대해서 알려줄 뿐이었고 그것을 제외한 나머지 교육이나 지도는 전혀 없었다.

"아저씨."
"삼촌이라 부르라니까."
"나 이제 여기서 안 살아."
"왜? 무슨 일 있어?"

열심히 머리를 긁적이던 그는 토끼눈이 되어 나를 바라볼 뿐이었다.

　"이것만 있으면 이제 어떻게든 되겠지."

나의 손에 쥐어진 건 작은 휴대폰 뿐이었다.

　"너 그래도 여기서 8년 살았어. 정이라도 갖고 좀 더 지내다가 어른 되면 나가서 살던가 해."
　"정? 그게 뭔데?"
　"그 동안 정도 없었냐? 그래도 다 같은 마음으로 지낸 곳인데."
　"웃기지 마. 그딴 거 느낀 적 난 한 번도 없었어."
　"할 줄 아는 것도 없잖아. 나가서 어떻게 살려고 그래. 고집 피우지 말고 좀 더 배운 다음에……"
　"그냥 내가 알아서 하고 싶은 거 다 하면서 살게."
　"……"
　"어차피 여기에 온 것도 강제적이었잖아."

그 말을 끝으로 원장에겐 그동안 고마웠다는 가식적인 말과 함께 그곳에서 나왔다. 나의 손 끝이라도 붙잡을 줄 알았던 그녀는 애초에 나와는 별 상관 없던 사람인 마냥 떠나 보냈다.

"다시는 여기로 오지 말아라."

간만에 제대로 쳐다본 그녀의 얼굴은 조금의 미련도 없는 듯한 표정이었고 씨익 웃은 후 뒤돌았다.

"다신 안 봐요."

.

그렇게 3년이라는 시간이 흘렀다. 그 사이에 변한 거라곤 조금 더 자란 신장 뿐이었다. 그래도 시간의 흐름이 도움이 있었던 모양인지 평생 예절에 대해 모를 듯 했던 내가 예의를 배웠다. 스마트폰은 생각보다 쓸모 있는 물건이었다. 알 수 없는 일이 생겼을 때 제일 먼저 알 수 있는 물품이었던 것이다. 아직 완벽하진 않아도 대부분의 단어의 의미는 파악할 수 있었고 띄어쓰기의 필요성도 파악할 수 있었다. 이렇게 다양한 요소가 나를 변화 시켰지만 그럼에도 불구하고 바뀌지 않은 건 한 가지 있었다.

"돈 고마워."

도둑질이었다. 아무리 생각해도 영원히 따라 다닐 듯한 꼬리표였다. 그에게서 배운 도둑질은 마치 내가 뭐라도 된 사람인 것처럼 나를 황홀감에 젖게 만들었다. 도둑질을 하고난 뒤 두려움에 잠식된 누군가의 떨림과 향기로운 돈의 냄새가 어우러져 다른 일을 할 수가 없었다. 그래, 이것이 나의 일상이자 삶이다.

- 우우우웅. 우우우우웅.

모르는 번호로 전화가 왔다. 왜인지 받으면 안 될 듯한 기분에 무시하려 했지만 그 진동은 멈출 새 없이 계속해서 울렸고 심호흡을 내뱉은 뒤 짜증 섞인 톤으로 전화를 받았다.

"여보세요."
"혹시 이수현, 이신가요?"
"네. 맞긴 한데. 누구세요."
"나, 아저씨."
"아저씨?"

곰곰이 떠올리다 번쩍 하는 연결음과 함께 호응 했다.

"그 꼰대?"

.

"너 나를 꼰대로 생각 하고 있었던 거냐. 그런 말은 또 어디서 배워 온 거야."
"휴대폰."
"괜히 사다줬잖아."
"근데 왜 만나자고 한 건데?"
"그냥 할 말도 있고 갑자기 너 생각 나서."
"할 말 뭔데?"
"너 도둑질 하는 거 누구한테 배워서 하고 있는 거야?"
"나 키워준 사람."
"그 사람이 누군데?"
"그걸 아저씨가 알아서 뭐 하게."
"그 사람 되게 포근하게 생겼지? 웃는 거 되게 이쁘고."

순간, 눈이 번쩍 뜨이며 손이 떨리기 시작했다.

"내가 그 사람을 좀 알거든."

슬픔이 묻어난 눈이었다.

.

　"조심히 가고. 아프지 말고."
　"응."
　"밥 잘 챙겨 먹지?"
　"응."
　"... 조심히 가라. 또 연락 할게."
　"응."
　"마음 쓰지 말고 넌 너대로 잘 살아. 그래도 오랜만에 봤으니까 용돈은 줘야지."
　"... 됐어."
　"원래 어른은 형편이 되든 안 되든 아이에게 돈을 줘야 하는 거야."
　"...... 고마워."

그는 씨익 웃으며 나의 머리를 헝클어트린 뒤 유유히 자리를 떠났다. 그 때 받은 삼만 원에 담긴 온기를 아직도 잊을 수 없다.

　"하......"

철문에 미끄러지듯 기대 앉았다.

 "흐으... 흐윽... 하......."

간만에 소리 내어 크게 울었다. 사람들에게 무시 받았을 때도 고아원에서 미치도록 혼났음에도, 나의 추억이 찢겨진다 해도 한 번도 울지 않았는데.

 "교통사고 당한 건 기억이 나냐?
 "내가 그랬다고? 언제?"
 "그 사람 한 동안 너 눈 앞에 안 나타났지?"
 "아저씨, 스토커야?"
 "넌 대체 나를......"
 "내가 사고를 당했다고?"
 "뉴스에도 나올 만큼 심각하게 큰 사고였어. 기억 안나?"
 "...... 전혀. 아, 병원 복 입고 있던 건 기억 나는데. 사고는 대체 언제 났는데?"
 "그 사람이 사라졌을 때 즈음."
 "아저씨가 그 사람을 어떻게 아는데."
 "널 돌봐줬던 그 도둑질 잘한 그 사람이 내 친구였으니까."

"거짓말 하지 마."

"걔가 가르쳐준 거잖아. 도둑질 하는 거. 걔 말투가 좀 퍽퍽해서 그렇지, 너 엄청 아꼈어. 오죽 했으면 지 하나 가지고 있는 컨테이너 같은 집 너 가지라고 했다니까."

"좀 알아 듣게 얘기 좀 해 봐."

"어떤 애를 주웠대. 눈이 아주 총명해서 뭐든 잘 할 수 있을 거라더라. 초졸 밖에 안 했지만 자기가 어떻게든 키우겠대. 그게 도둑질인 줄은 몰랐지만."

"... 하하..."

헛웃음이 저절로 나오며 얼굴이 경련 되기 시작 했다.

"너 사고 당했을 시기에 걔 항암 치료 받고 있었어. 암이 었거든."

고개를 푹 숙인 채 그의 이야기에 경청 했다.

"너 사고 당했다는 말 듣고 치료 거의 안 받았어. 너가 더 우선이라면서. 너 깨어나기 전부터 계속 너 찾아가서 괜찮은지 나한테 몇 번이나 물어 봤다고."

"얼핏 기억 나. 어떤 남자가 날 걱정 하던 눈빛이."

76

"너 깨어 났을 때 걔 엄청 기뻐 했어."

"... 근데 퇴원 할 때는 안 왔잖아."

"..."

"..."

참을 수 없는 정적이 서로의 숨소리만 간간히 들려 왔다. 냉기가 울려 퍼지는 에어컨 소리와 추적추적 내리는 얇은 빗소리가 고막에 감겨 그 소리가 듣기 거슬려 입 밖으로 말을 뱉을 때 즈음.

"죽었거든. 그 때는."

"...... 뭐?"

"걔도 몸 상태가 안 좋다는 거 알았을 거야. 자신이 능력이 안 될 거 같으니까 고아원에 잠깐 보내달라 하더라. 열악한 집에서 지내는 것 보다는 그게 나을 듯 하다면서. 그래서 너 계속 찾으러 다닌 거야."

"......"

"웃으면서 사망 보험금 너 앞으로 보내라고 말 하더니 얼마 안 있다가 그렇게 됐어. 심정지 왔거든."

"...... 아저씬 내가 원망스럽지 않아?"

"왜?"

"나 때문에 죽은 거잖아. 내가 죽인 거잖아. 내가 애초에 그 아저씨랑 엮이지 않았다면..."

"같이 시간 보낸 게 걔한텐 행복이었어. 난 너 원망 안해. 전혀."

"... 어째서? 난... 나는..."

"걔 눈에는 너가 자식처럼 보였겠지."

그 뒤로 주고 받은 대화는 기억이 나지 않는다. 그 때부터 지금까지 그저 멍하니

멍하니

멍하니

.

.

.

눈물을 흘려내도 터트려도 잡아 틀어도 도저히 멈출 기세가 보이지 않았다. 쏟아낼 수록 더욱 쏟아져 나오는 눈물에 절규했다. 아예 몸까지 접어가며 펑펑 울었다. 헐떡이는 가슴을 부여잡고 슬픔에 굴복했다.

난 아직 당신의 이름이 뭔지도 몰라.

.

 천둥 번개가 세상을 삼켰다. 미친 듯이 울다가 창 밖을 바라 봤다. 흐린 초점을 부여 잡고 바라본 세상은 어두웠다. 급하게 몸을 일으켜 세운 뒤 작은 우산을 챙겨 무작정 밖으로 나왔다. 누구라도 만나야 정신이 돌아올 것만 같은 느낌이었다. 생각해보면 도둑질 자체가 나의 징크스였다. 외로울 때, 미친 듯이 울고 싶을 때 하는 도둑질은 최상의 결과를 가져다 준다. 그것이 기쁨이든,

사람이든.

 그 날 난 새로운 누군가를 만났다. 입꼬리를 씨익 올리며 붉어진 눈가를 꾸욱 눌러 정신을 집중 시켰다. 아무 일도 없었던 척, 아무렇지도 않은 척. 그 순간,

누군가의 절규가 귀에 깊게 박혔다.

 귀를 한 번 긁어주곤 소리가 들린 방향으로 거침없이 걸어갔다. 나의 징크스를 마주 하는 순간이다. 그곳으로 걸음을 옮기자 우산도 내팽겨 둔 채 울음을 삼키는 한 남자

가 몸을 떨며 비를 한가득 받고 있는 게 보였다. 누가봐도 가출을 한 듯한 생김새와 기분 나쁘게 삼켜대는 눈물에 기분 나빠져 혀를 차며 다른 곳으로 갈려던 참이었다. 그러다 불현듯 머리를 스쳐 지나가는 생각이 한 번 더 뒤를 돌아보게 만들었다. 그래도 꽤 쓸만한 구석이 있을 듯한데. 가뜩이나 죽고 싶었는데 같이 살아 볼까. 웃음이 새어 나오려던 걸 간신히 막고 그의 앞에 섰다.

그것이 이 사람과 나의 첫 만남이었다.

"불 줄까?"

회유 하기 위해서는 의미 없는 선행이 제일 마음을 열기 좋은 방법이었다.

"...... 누구신데요 당신?"

그는 나를 아주 경계 하듯이 위 아래로 기분 나쁘게 훑어 보다가 몸을 뒤로 내빼며 시선을 먼 곳으로 옮겼다. 단순 가출 청소년이랑은 묘하게 느낌이 달랐다. 시험 하는 듯한 생각이 들어 나도 모르게 잠들어 있는 본성이 튀어나올 뻔 했지만 가식적인 미소를 장착한 뒤 계속해서 친한 척

들이댔다.

 "나, 이수현."

해맑게 자기 소개를 했지만 돌아오는 대답은 정적이 가득 매운 빗소리였다. 기분 나쁜 빗소리가 불안정한 리듬을 타며 내 우산 위로 떨어지는 게 나의 기분을 더럽게 만들었다. 한참동안 이어지는 정적에 점점 심기가 불편해졌고 그냥 자리를 뜰까 생각이 들었을 때 즈음 그는 무겁게만 느껴지던 입술을 열었다.

이한빈

나도 모르게 웃음이 저절로 지어지더니 참을 수 없는 폭소가 나를 집어 삼켰다. 한참을 소리내어 크게 웃다가 벙찐 표정을 한 그를 보다가 헛기침을 몇 번 내뱉곤 대화를 이어 나갔다. 온갖 티엠아이를 말하며 일방적인 대화를 하다보니 생각보다 비위를 잘 맞추는 듯 보였고 나를 흥미로운 시선으로 바라보다가 이성을 붙잡으려는 행동도 마냥 내 눈엔 새장 안에 갇힌 하얀 새로 보였다. 감옥과도 같은 그곳을 허락 없이는 빠져 나갈 수 없는 가냘픈 새, 목줄 묶인 새라고 생각하면 마음이 편할까, 불쌍하다는 생각이 들었지만 어차피 나랑은 관련 없는 일이니까. 어차피 너보단 내가 더 힘들테니까. 힘들면 알아서 그만두겠지 하며 먼 곳으로 시선을 옮겼다.

 초점이 풀린 눈으로 멍하니 한 곳을 응시했다. 어느 순간 거의 다 피워가는 담배가 나의 초점을 원래대로 돌아오게 만들었고 슬슬 집으로 가야 겠다는 생각이 들어 축축해진 엉덩이를 몇 번 짜낸 뒤 손에 묻은 물기를 옷에 대충 닦아내곤 그를 스윽 바라봤다. 눈치 보며 버벅대고 있는 꼴이 갑갑해 손목을 세게 당겼다. 힘 없이 딸려오는 그가 정녕 남자가 맞는지 의문스러웠고 말라 비틀어진 손목의 두께와 막상 옆에 서보니 그렇게 크지도 않은 피지컬이 실망스러운 건 사실이었으나 근육이 붙어 있는 다리와 자잘한 근육이 미소 짓게 만들었다.

그렇게 의미 없는 생활이 시작 됐다.

.

 그는 생각보다 몸이 많이 약한 듯 보였다. 집에 온지 오랜 시간이 흐르지도 않았는데 갑자기 눈이 풀리며 픽 쓰러지질 않나 고열 때문에 괴로워하지 않나 실망스러운 건 사실이었다. 그럴 때마다 토닥여주거나 관심 조금 베풀면 헤실 거리며 웃는 품이 꽤나 웃기기도 했다. 또한 그는 은근 눈물도 많았고 마음에 품고 있는 고통도 많은 듯 보였다. 자다가 한 번씩 낑낑 거리는 소리에 눈을 떠 보면 인상을 찌푸린 채 엄마를 여러 번 부르는 것이었다. 왜 굳이 나와서 개고생을 하는 거지 지금이라도 집에 들어가지라는 생각을 여러 번 하곤 했지만 사정이 있겠지 생각하며 이불을 고쳐 매곤 잠에 취한 적도 꽤 있었다. 알게 모르게 튀어나오는 칭얼거림이 인상을 찌푸리게 한 적도 있었지만 어떻게든 그의 비위에 맞췄다. 그렇게 슬슬 투정을 받아주는 것도 귀찮아질 참이었다.

"이거 다 피우면 먼저 들어가."

약속한 돈을 받으러 가기로 한 시간이 되어 자리를 피하려는 나의 시늉에 그는 왜인지 미묘한 얼굴을 하고 있었고 그 시선을 무시한 채 자리를 떴다. 그를 멍하니 떠올리다 괜시레 이상한 기분이 들어 머리를 좌우로 흔들었다. 약속한 장소에 도착한 순간, 어깨를 툭툭 치는 감촉이 느껴졌다. 뒤를 돌아보니 며칠 전 그 사람이 씨익씨익 거리며 나의 눈을 바라보는 것이었다.

-...?

불길한 예감에 뒷걸음질을 치며 그 사람을 바라보니 소매 안 뾰족한 무언가가 빼꼼히 고개를 내밀고 있었다. 설마 휘두를까 하는 생각에 휩싸인 채 멍하니 그 사람의 눈을 응시하자 웃는지 우는지도 모를 어정쩡한 표정을 지으며 속사포로 말을 내뱉기 시작했다.

　"넌 그렇게 사는 거 후, 후회 할 거야 씨이발...... "
　"또 지옥 가라고? 그건 내가 알아서......"
　　、

엄청난 고함 소리와 함께 그 사람은 손에 쥐고 있던 커터 칼을 미친듯이 휘두르며 나의 시야를 방해했고 반사 신경으로 그 사람의 손길을 막아냈다. 그 과정에서 이마엔 따끔한 고통이 느껴졌고 이내 그곳에선 붉은 피가 새어나왔다. 그때, 그 사람은 작게 욕설을 계속 내뱉으며 지옥 갈 거라는 말을 중얼중얼 거리며 거친 숨을 뱉은 뒤 뒤뚱 걸음을 하며 부리나케 도망쳤다.

　"하...... 오늘 운수 더럽네."

피를 닦아내며 약속 장소에 도착 했건만 시간은 이미 한참 지난지 오래였고 눈부시게 밝게 빛나던 태양은 어느새 절반만을 보이고 있었고 마른 피딱지와 함께 집으로 도착했다. 떨어지지 않는 발걸음으로 집에 도착하니 뜨거운 열기가 고개를 갸웃거리게 만들었고 이내 열기의 주인이 한빈임을 알게 됐다. 가까이 다가가 이마를 만져보니 열이 펄펄 끓어 태양과 맞붙을 정도였고 잠에 빠진지 오랜 시간이 흐른 듯 아무런 미동도 없이 잠을 자는 그가 조금은 안쓰럽게 여겨져 화장실에서 수건을 적신 뒤 이마에 올렸다. 흠칫 거리다 다시 미동도 없이 누워 잠을 청하는 꼴이 불쌍하다는 생각이 들었으나 그마저도 잠시 뿐이었다. 작게 욕설을 내뱉곤 자리에 일어나려 하자 나를 붙잡은 그의 손길에 몸의 중심을 그에게로 옮겼다.

 "엄, 마... 나, 나, 아파... 무, 무서워......"

멈칫 거리다가 머리를 쓰다듬으니 그의 눈에서는 뜨거운 눈물이 천천히 볼을 따라 흘러내렸다.

 "하여튼 이상해."

 한치의 거짓이 섞이지 않은 진심이 담긴 말이었다. 홀로 고통과 외로움에 사무치면서 정작 본인은 그것들이 혼재

된 이곳에 머물러 있는 게 아무런 이해가 되지 않았다. 물끄러미 그를 바라보다가 휴대폰을 보기 위해 자리를 옮긴 순간, 그가 두 눈을 꿈뻑 거리며 잠에서 깨어났다. 아무렇지도 않은 척 그에게 장난 섞인 말을 건넸고 엄마를 외치며 끙끙 대던 건 기억도 나지 않는지 나의 이마만 바라보며 걱정스러운 눈빛을 보내는 게 심장을 아프게 했다. 도무지 이 느낌이 뭔지 알 수가 없었다. 이 감정을 지우기 위해 주제를 돌리기 위해 애썼고 모든 감정들이 착각이라고 세뇌 시킨 뒤 별도 잠든 그날 밤, 밖으로 걸음을 옮겼다. 원래 계획은 지겨움이 느껴질 때 즈음 바로 내팽겨 치는 것이었는데 모든 게 계획대로 되지 않는 듯한 기분에 연기를 힘껏 뿜어냈다.

고민도 연기처럼 날아가 버리면 좋을텐데.

나의 이마를 어루 만졌던 그 손길이 느껴져 흠집이 생긴 상처에 손을 가져다댔다. 이제서야 찾아오는 따가움이 정신을 더욱 혼미하게 만들었다. 필요 없어지면 버리기만 하면 되는 건데.

근데

왜 이렇게 힘든 거야?

구름 한 점 없는 하늘이 나의 마음이었으면 하는 바램이 머릿속을 집어 삼켰다.

"평소대로 하란 말이야."

.

주문과도 같은 말을 여러 번 내뱉곤 집에 다시 들어갔다. 그 공간에 들어서자 알 수 없는 어둠이 공중에 매달린 채로 땅을 향하고 있는 것이 보였다. 손이 벌벌 떨리고 다리에 힘이 들어가지도 않아 넘어질 뻔 할 걸 버텨내곤 미친 듯이 어둠을 향해 뛰어갔다. 그의 목에 강하게 묶인 콘센트 선이 마치 내 목에 감긴 듯 호흡이 어려워졌고 과호흡이 되어 육체를 괴롭혔다. 숨을 컥컥 삼키며 목에 감긴 선을 억지로 풀어내려 했지만 계속해서 미끄러지는 손이 역겨워져 고함을 크게 지르곤 정신 나간 사람처럼 악썼다.

초점 없는 눈이 어깨에 계속해서 닿이는 불안함에 목 놓아 울었다. 인생 자체가 죽음이었는데 미친듯이 찾아오는 불안함이 나를 삼켰다. 힘 없이 축 늘어진 그를 몇 번이고 흔들며 벌벌 떨리는 손을 강하게 내리친 뒤 초점이 돌아오지 않는 눈을 바라보며 한빈의 이름을 계속 불렀다. 그렇게 몇 번을 불렀을까, 그는 그제야 입을 뻐끔 거리기 시작했고 이성을 놓은 나는 그에게 안겨 등을 여러 번 쓸어 내렸다. 벌벌 떨리는 손으로 그의 등을 쓸어 내리니 차갑게 식어버린 그의 얇은 손가락 마디마디가 어깨에 느껴졌다. 조금씩 느껴지는 안정감에 사무치자 더욱 더 강하게 그를 끌어안곤 주저리 주저리 말했다.

"미, 미안, 미안해, 미안......"

미친듯이 미안하다는 말만 주문처럼 내리 반복했다. 수 많은 말 중에 미안하다는 말이 튀어 나왔는지는 알 수 없었다. 모든 감정이 복합적으로 섞여 내뱉은 말은 무거운 사과 뿐이었다. 이내 아기처럼 펑펑 울고 있는 그를 보자 그제야 나의 마음을 정의 내릴 수 있었다. 차갑게 식어갔던 그를 품에 껴안으니 알 수 있었다. 왜 이토록 그의 죽음을 두려워 했는지 알 수 있었다.

"뭐가 그렇게 미안했던 거야?"

너를 힘들게 했던 나의 존재 자체.

"너 힘든 줄 몰랐던 거."

"...... 내 목숨이 그렇게 소중해?"

소중하지 않은 목숨이 어딨어.

"...... 너 죽기만 해 봐..."

생각한 말과 내뱉은 말의 온도는 어쩜 이렇게 천지차이일까, 과격한 감정이 섞인 말에도 그는 웃으며 대화를 이어나갔다. 이 세상에선 내가 제일 불행하고 제일 슬픈 사람인 줄 알았는데. 더한 상처를 지닌 사람이 있었다. 헐떡이며 숨을 간간히 쉬고 있는 그. 심장이 찢어질 듯 아팠다. 그의 푸욱 들어간 볼은 금방이라도 쪼그라들 듯이 힘겹게 호흡 하고 있었고 보랏빛으로 퍼렇게 물든 목은 미친듯이 괴로웠다. 순간, 미친 사람처럼 사랑한다고 내뱉고 싶었다, 뜬금 없는 말을 하면 깨어나서 솜방망이 같은 손으로 한 대 내려칠 듯 했으니까. 그렇게라도 너의 목숨을 바라고 바랬다. 극심히 찾아오는 두통에 눈을 질끈 감았다. 감긴 눈 앞엔 어둠을 먹은 너가 나의 목을 졸랐다. 난 그저 벌벌 떨리는 손으로 너의 등을 만질 뿐이었다. 가빠지는 호흡으로 흐려지는 시야에도 어둠 속에서의 넌 빛났다.

.

 그를 껴안고 호흡이 일정해질 때까지 등을 토닥였다. 덩치 있던 몸은 하염없이 작게만 느껴졌고 강한 압력으로 인해 보랗게 멍들어 버린 목 전체가 나의 신체 일부라도 된 듯 고통스러웠다. 머릿속을 계속 맴돌고 있던 수십 가지의 의문들이 퍼즐 조각이 맞춰진 듯 자리를 잡았고 잠든 그를 바라보며 얘기했다.

 "서둘러 사랑하지 않을게. 미안해. 나랑 겪은 모든 상황들을 후회 할 수도 있어."

 "미안해. 이런 나라서."

 항상 내가 최우선이었고, 내가 제일 불행한 사람인 줄 착각하며 살았는데 정말 착각이었다. 불행한 사람이 있었고, 괴롭게 살아가는 사람이 있었고, 우울감에 져버린 사람도 있었다. 그의 몸에 자라난 근육이 생존 근육임을 알게된 나는 고개를 숙일 수밖에 없었다. 아아, 똑같은 처지였던 너를 우열의 기준으로 바라보지 말 걸, 조금이라도 너의 아픔을 나의 아픔의 반의 반의 반만이라도 생각 할 걸,

후회가 후회를 낳고,
감정이 감정을 낳는다.

후회와 감정이 뒤섞여 폭포처럼 뿜어져 나왔고 깊은 바다
가 되어 잠겼다. 그 공간에서 나는 평온하게 눈을 감았고
점차 물 속이 익숙해질 때 쯤 돌아본 내 옆에는 같이 숨
쉬고 있는 너가 있었다.

다행이다, 내가 너를 찾아내서.
다행이다, 너가 나를 찾아내서.
다행이다, 우리가 우리를 찾아내서.

깊은 물 속에서 바라본 하늘은 아지랑이처럼 피어 올랐고
어느새 그 하늘은 검게 물들어 잔잔한 빗줄기를 쏟아냈다.
그 빗속에서도 난 너를 바라보며 환하게 웃었다.

 시야가 흐릿해져 아무런 형태가 보이지 않는다. 시선을
거두고 바라본 현실 속엔 곤히 잠들고 있는 너가 보였다.
볼까지 붉힌 너는 어떤 꿈을 꾸고 있길래 이리도 평화로
운 걸까. 그의 얼굴을 멍하니 바라보다 머리를 쓰다듬곤
현관 앞에서 잠을 청했다. 딱딱한 바닥에 몸을 붙이니 척

추를 타고 올라오는 싸늘함에 정신을 번쩍 깨웠다. 또 다시 찾아오는 불안감에 고개를 돌린 그곳엔 편안하게 잠에 든 그가 보였다. 일정한 리듬으로 반복되는 호흡이 그가 살아있음을 증명 해줬고 고개를 거둬 오지는 않는 잠을 억지로 취했다.

달은 너무나도 밝다.
그의 미소도 밝으면 좋을텐데.

.

영원히 깨지 않을 듯한 꿈을 꿨다. 왜인지 이질감이 느껴지는 누군가가 한참 높은 시선에서 말을 이어 나갔다.

"잘 지내고 있구나."

그의 목소리는 크림을 먹은 듯 부드러웠고 나긋나긋한 목소리가 경계를 풀게 만들었다. 꿈에서 나는 그가 누군지 이미 알고 있는 듯 피식 미소를 지으며 그의 말에 대꾸했다.

"잘 못 지내지는 않죠."

그는 껄껄 거리며 웃음을 내뱉더니 나의 가르마를 따라 천천히 머리를 쓰다듬었다.

"너가 지키기로 마음 먹은 다짐들은 지키는 게 좋아."
"다 지킬 거에요."
"지킬 수 있는 것들이 생겼구나, 너무도 자랑스럽다 수현아."

그의 따뜻한 손이 나의 볼을 붉게 만들었고 인자한 미소를 보인 그는 연기처럼 사라졌다. 그가 사라진 자리에는 꽃잎 하나가 떨어져 있었고 그 꽃잎을 주운 뒤 온기가 남아 있는 머리를 살짝 건드렸다.

"표현할 수 있는 건 마음껏 표현 하도록 해. 미움이든 사랑이든."

눈을 뜨니 이미 해 뜬지 오래였고 축축한 기분에 얼굴을 만져보니 식어버린 눈물이 나를 반겼다. 시선을 돌린 그곳에선 이미 이불을 정리한 지 꽤 된 듯한 그가 싱긋 웃으며 나를 내려다 보고 있었다.

나는 말 없이 그를 강하게 끌어 안았다. 그는 당황한 듯 얼빠진 소리를 냈지만 그럼에도 숨통이 막힐 만큼 구역질이 날만큼 눈알이 튀어나올 만큼 거세게 안았다. 켁켁 거리는 소리가 들리고 등을 툭툭 치는 압박감이 느껴지자 그제야 품에서 그를 떼어내곤 두 눈을 바라 보았다. 붉게 물든 볼을 보자 깊게 패인 볼이 생각나 등골이 오싹해 졌다. 애써 고개를 좌우로 흔들어 정신을 깨우곤 환한 얼굴로 바라 보니 넌 은은한 미소를 짓고 있었다.

수 많은 말 중에 한 마디 했다.

"잘 잤어?"

너는 씨익 웃으며 말했다.

"좋은 아침."

오아시스

 어느덧 시간은 흘러 금방이라도 타 버릴 듯한 태양만이 흘러가는 계절이 되었고 그 많던 비는 어디로 사라졌는지 평생 축축할 줄만 알았던 대지는 건조함이라는 먹이를 먹고 사람들을 죽음에 몰았다. 정확히 내가 죽기로 한 바로 다음 날부터, 우리에겐 많은 것이 바꼈다.

 "약 사다 놨으니까 힘들면 전화 꼭 해."
 "엄마도 아니고 왜 이렇게 걱정이래."
 "엄마 할게 그럼."
 "재미 없어 그런 거."

어느새 말장난을 하며 시간을 보내는 일이 늘어갔고 항상 어둠 속에 들어가 해가 뜰 때 즘 돌아오던 수현은 그 반대가 되어 있었고 서로의 눈을 보고 대화 하는 순간들이 점점 늘어났다.

 "슬슬 덥지. 선풍기 꺼낼까?"
 "선풍기도 있어?"

"없는 거 없다니까. 기다려 봐. 들고 올게."

회색 빛으로 바래진 선풍기의 먼지 바람을 느끼는 순간도 영원할 듯 했고 먼지들이 목구멍을 타고 넘어가 기침을 콜록콜록 내뱉는 그 순간도 나에겐 기쁨이었다. 그 작은 선풍기 앞에서 뭐가 그렇게도 좋았던 건지 숨이 넘어갈 만큼 웃음을 토해낼 때 마다 수현은 항상 나의 등을 두드려줬고 나의 마음은 걷잡을 수 없이 부풀어만 갔다.

위와 같은 생활을 반복하며 지내다 보니 어느새 또 다른 계절을 맞이하게 됐고 한 번씩 꿈에 고통스럽게 만들던 그 놈도 더 이상 나타나지 않게 되었다. 그 놈의 얼굴이 떠올려 지지도 않을 만큼 시간이 지났을 때 우리는 진지한 이야길 나눴다. 그 공간엔 먼저 투성이 선풍기도 함께 호응을 하며 대화에 참석했다.

 "너는 무슨 일 해?"
 "알바 한다고 했잖아. 그 사이에 까먹었어?"

피식 웃으며 대화를 피하려고 하는 수현의 눈빛에 나도 모르게 손목을 부여잡고 말했다.

"구체적으로 어떤 일?"

수현은 심히 당황한 듯 헛기침을 하기 시작했고 선풍기 버튼을 만지작 대다 잡힌 손목을 빼내려는 듯 불편한 신호를 보였다.

"생각해보면 너에 대해 아는 게 거의 없어. 이름이랑 나이, 싫어하는 날씨 그 정도만 알지. 넌 어떤 사람이야?"

수현은 잠시 머뭇거리다가 한숨을 깊게 내뱉곤 엉덩이를 바닥 끝까지 붙여 나를 빤히 바라 보다가 옅은 미소를 지으며 입을 뗐다.

"후회 할 수도 있어. 그래도 돼?"

데자뷰 같은 이 상황을 느끼다가 뚫어질 듯한 수현의 눈빛에 나도 모르게 고개를 약하게 위 아래로 끄덕였다. 그러자 수현은 다시 깊은 한숨을 내뱉으며 상 위에 올려진 담배를 주섬주섬 주워 입에 갖다 대곤 빨간 불을 치익 붙였다.

한숨만큼 깊은 연기가 하늘로 무겁게 올라갔다.

"모든 걸 잃고 싶은 사람이었어. 나는."

그렇게 그 사람의 이야기가 시작됐다.

.

"엄마 아빠가 누군지도 몰라. 버려져 있던 나를 누군가가 데려갔고 몇 년동안 누군가의 밑에서 자랐어. 근데 그 사람의 이름은 전혀 몰라. 누군지도 모를 그 사람이 나를 태어나게 해줬어."

수현은 무겁게 말을 내뱉으며 자신의 상처를 덮으려는 듯 연기를 힘차게 뿜어냈다. 그 사람이 하고 있는 모든 행동이 어쩜 이렇게도 괴로워 보였던 것일까. 썩어 문드러진 심장을 지니고 어떻게 살았던 걸까. 덤덤하게 내뱉는 그 속은 얼마나 타들어갈까.

"사실 알바 안 해. 그거 해. 도둑질. 난 부모도 없고 어느 순간 그 사람도 사라졌으니 내가 할 수 있는 일이 없었어. 솔직히 너가 보기엔 핑계 같다고 할 수 있긴 한데. 아무것도 할 수 있는 게 없더라."

"아무것도."

수현의 표정은 지금 이 순간 그 누구보다도 덤덤했다.

"또 다른 누군가가 나를 데리고 고아원으로 갔어. 지금 다시 생각 해보면 좋은 사람이었던 거 같애. 그 땐 뭐가 그렇게도 불만이었던 건지 모든 게 다 싫고 원망스럽기만 했어. 8년 정도 살다가 그냥 나왔어. 그곳에 갇혀 나의 본질을 잃고 싶지 않았거든."

"고아원에 나와서도 도둑질은 계속 했어. 남들과 다른 일을 한다는 이상한 자부심이 있었거든. 사실 너 처음 만났을 때 너를 엄청 아니꼽게 봤어. 누구는 어떻게든 열심히 사는데 비 맞으면서 울고 있는 그 모습이 난 진짜 싫더라."

수현의 눈은 점점 초점을 잃어갔고 코를 한 번 훌쩍인 뒤 마저 말을 이어 나갔다.

"그 와중에 난 슬퍼하던 널 마음대로 데려 왔어. 이런 짓을 같이 하면 나에겐 엄청 도움 될 거 같았거든."

"나 진짜 못 됐지."

커다란 한숨 소리가 공간을 가득 매웠고 잠시 동안의 침묵에도 묵묵히 돌아가는 선풍기가 공감이라도 해주는 듯 큰 지분을 차지 했고 수현이 입을 떼면 선풍기는 약속이라도 한 듯 소리를 낮췄다.

"근데 같이 지내다 보니까 내가 제일 힘든 사람이 아니라는 생각이 들더라 결국은 내가 못된 사람이었어. 이기적이고 욕심 많은 새끼, 별 거 아닌 걸로 눈물 짰던 새끼, 너가 아니라 나였던 거야."

차가운 눈물이 서로의 볼을 타고 무겁게 떨어졌다.

"조금은 궁금증이 해결 됐어? 난 이런 사람이야."

수현의 말에 나는 아무런 말도 할 수가 없었다. 다만 내가 할 수 있는 일은 차가운 눈물을 쏟아내는 것 뿐이었다.

"왜 울어. 괜찮아?"

자신의 눈물은 신경도 안 쓴다는 듯 되려 나를 보는 너가 왜 이렇게도 괴로운 걸까, 집에서는 한 방울도 흘리지 않았던 그 눈물을 너 앞에서는 이렇게도 잘 보일 수 있는 걸까, 너의 마음은 잎새처럼 여리다는 것을 너도 잘 알까, 온갖 생각을 하다보니 참을 수 없이 부풀어 오른 눈물이 힘 없이 추락했다. 테이프로 꽉 막은 듯 입은 뻐끔 거리기만 반복할 뿐 아무런 말도 내뱉지 못 했다. 아니. 내뱉을 수 없었다.

이내 눈물이 조금씩 진정 될 때 즈음

"응 괜찮아."

마음에도 없는 말을 내뱉었다.

"많이 실망했지. 미안해."
"아니야 전혀."

거짓말쟁이는 나였다.

"아무렇지도 않아."

주워 담을 수 없는 거짓이 나를 집어 삼킨다.

사실은 계속 의심 했었잖아. 계속 되는 호의와 계속 되는 불쾌감을,

-......
-......

천국과 지옥, 거짓과 진실 그 사이에서 우리는 그저 위태 롭게 서로를 바라볼 뿐이었다. 아슬아슬하게 외줄 타기를 하고 있는 듯한 이 상황도 어째서 불안하지 않을까.

"...... 궁금한 거 더 없어?"

침묵을 깨는 수현의 한 마디가 정신을 일깨웠다.

"집, 집은 어떻게 구한 거야? 그렇게 해서 번 돈으로는 많이 부족 했을 거 같은데."

"생전 그 사람이 살던 곳이래."

"... 넌 어떻게 알게 된 거야?"

"모르는 번호로 전화가 왔어. 고아원까지 날 데려다 준 사람인 거야. 그 때 다 알게 됐어. 왜 그 시절의 기억이 드문드문 한지."

"...... 왜?"

"교통사고 당했대. 큰 사고 라던데 기억 안 나."

수현은 윗 옷을 훌렁 벗어 배와 등에 깊게 새겨진 흉터를
보였다.

"정말 신기해. 모든 기억이 다 있는데 그 날의 기억만 없
었어."

-......

"숨 쉬느라 정신 없는 그 와중에 누군가의 인기척이 느
껴져서 흐린 눈으로 보니 어떤 남자가 걱정스러운 눈빛으
로 날 바라 보고 있었어. 깨어나면 누군지 물어 봐야겠다
고 생각 했는데 퇴원이 다가 올 때 즈음엔 안 오더라, 단
한 번도."

수현은 잠시 말을 멈추더니 서서히 붉어지는 듯한 눈가를
짓누르며 말을 이어 나갔다.

"죽었대. 그 사람이 알려줬어."

"... 그 분은 어떻게 아신 건데?"

"엄청 친한 친구였대."

"아... 그렇구나."

"그 사람 죽기 전에도 내 생각 했대. 진짜 웃기지. 피도 안 섞인 전혀 모르는 사람인데."

수현의 눈은 감당 할 수 없는 깊은 슬픔에 잠겨 있었고 그 상황에서 내가 할 수 있는 건 아무것도 없었다.

"사망 보험금 같은 것도 다 나한테 넘기라고 했대."

수현은 뜨겁게 차오르는 눈물을 쏟아내며 몸도 주체도 못한 채 고꾸라 지고 있었다.

"난 아무것도 이해가 안 돼. 왜, 왜 나한테 이렇게까지 베푸는 건데?"

수현은 몸부림 치며 머리를 강하게 감싸 쥐었다.

"어쩌면, 진짜, 날, 나를... 가족으로 생각한 거 아냐?"

가족이라는 단어가 나오자마자 수현의 앞으로 달려가 있는 힘껏 등을 껴안았다. 어린 아이처럼 슬픔에 잠긴 채 벌벌 떨고 있는 너가 이렇게도 안쓰러울 수가 없었다. 아직 물어보고 싶은 게 산더미인데, 입은 접착제를 붙여 놓은 듯 아무런 말을 뱉을 수 없었다. 그저 서툰 손길로 그 슬픔을 감싸주는 것 뿐이었다.

"응. 너를 엄청 아꼈으니까, 친자식처럼 생각 했으니까 그랬던 거야. 넌 나쁜 사람이 아니야."

"아니, 난 도둑질 하면서 사람도 많이 때렸어. 이기적인 심보를 먹은 난 나쁜 사람이야."

"아니야. 너의 사고와 대처 방식이 잘못 됐을 뿐이야. 넌 견뎌내기 위해 애쓴 거야. 앞으로 고쳐 나가면서 새로운 걸 하면 되는 거야."

"난 할 수 있는, 게 아, 아무것도 없어."

슬픔이 묻어난 어깨가 점점 축축해지며 강한 짓누름이 나를 삼켰다.

"만들어 가면 되는 거야. 내가 옆에서 많이 도와 줄게. 그 분도 너가 이렇게 지내기를 원하지 않으실 거야."

"진, 진짜, 나 할 수 있어? 내가, 정말로?"

"응. 세상에 안 하는 건 있어도 못 하는 건 없어. 그러니까 우리"

다시 살아보자. 수현아

애처롭게 들리는 매미 소리가 고막을 타고 뇌 안 깊숙이 들어왔다. 간지러운 고막의 울림에 흠칫 떨며 눈을 뜨니 곤히 잠들어 있는 수현의 얼굴이 나를 반겼다. 헝크러진 머리카락이 수현의 감긴 두 눈에 가지런히 자리 잡고 있는 모습에 나도 모르게 손을 뻗어 눈 앞에 다가갔다. 움찔거리며 미간을 찌푸리다 끄응 거리는 소리를 내며 다시 잠을 청하는 모습이 갓난 아기처럼 보여 나도 모르게 웃음을 터트렸다. 이내 시선을 거두고 화장실에 가기 위해 몸을 일으키자 깊게 잠긴 목소리가 고개를 돌리게 만들었다.

 "어디 가?"
 "나 화장실. 선풍기 더 세게 틀어줄까?"
 "아니. 됐어."

수현은 목을 가다 듬으며 눈을 껌뻑껌뻑 거리다가 기지개를 쭉 폈다. 잠에 덜 깨 몽롱한 상태로 허공을 바라 보는 모습이 괜히 웃음이 나와 나도 모르게 웃음을 보였다.

 "왜 웃어? 나 뭐 묻었어?"

눈가에 맺힌 눈물을 닦아낸 뒤 수현의 눈을 가리키곤 자리에서 일어났다.

"눈곱."

탄식하는 소리가 거실을 삼켰고 급하게 화장실에 들어와 고리를 잠근 뒤 거울을 바라봤다. 간만에 본 거울 속 내 모습은 멍 하나 없이 멀쩡한 상태였고 얼굴을 가득 채웠던 상처와 그늘은 어느새 사라져 태양이 생겨났다.

"벌써 이곳에서 지낸지도 한 달이 다 됐네."

만약 수현이 없었더라면 나는 어쩌면......

.

찬물로 거칠게 세수를 했다. 차갑게 튀긴 물방울이 정신을 완전히 깨웠고 잡 생각이 또 찾아올 때마다 거센 세수를 반복하니 어느새 머리 안은 백지로 채워졌다. 과거에 이유 없이 눈물만 흘리던 찡찡이는 사라진 지 오래였고 조금이나마 더 성장한 듯한 내가 보이자 기분이 이상해져 머리를 털었다. 길게만 느껴지던 양치질을 끝내고 나오자 이미 아침을 다 차려놓은 수현이 보였다.

"토스트 괜찮지?'

들어간 건 단지 계란후라이 하나 뿐인 이 토스트가 입 안 가득 채워 황홀감에 빠트렸다. 손에 붙어 있던 가루를 여러 번 빨아 먹으니 수현이 미소를 지으며 입을 뗐다.

"맛있었나 보네. 입에 다 묻었어."

말을 끝내기가 무섭게 수현은 입가에 묻은 가루를 떼어가 자신의 입에 집어 넣었고 왜인지 눈을 마주치기가 어려워져 황급히 고개를 돌렸다. 그러곤 아무 일도 없었다는 듯이 태평하게 남은 빵을 마저 먹는 모습이 이리도 얄미울 수가 없었다.

"그러면 우리 앞으로 어떡할 건데?"

손가락을 쪽쪽 빨던 수현이 입을 뗐다.

"일단 그 전에."

타 버릴 것만 같은 태양 아래, 넓게 펼쳐진 새파란 지평선, 나긋나긋한 자연의 소리

"그래서 여기를 와 보고 싶었다고?"

그곳은 바다였다.

.

비가 왔을 때 봤던 회색 바다와 비교될 만큼 도저히 닿지도 않을 듯한 드넓은 바다의 웅장함이 두려워져 하늘을 바라보았다. 답답하게 나를 집어 삼키는 바다와 하늘의 조화에 정신이 혼미해졌고 손을 뻗어 닿는 그곳엔 수현이 있었다.

"바다 처음이야?"

수현은 심드렁한 듯한 표정을 짓곤 바닷 바람을 피하려 손을 휘적 거리며 흩날리는 머리카락을 정리한 뒤 나를 바라봤고 깊은 눈동자가 이끄는 검은 공간에 강하게 빨려 들어갔다. 한 번 더 나를 부르는 듯한 목소리에 간신히 정신을 차리곤 수현의 물음에 버벅 거리며 말을 뱉었다.

"ㅇ, 응. 처음 봐. 바다."

날씨가 더워서인지 염분의 알러지 반응 때문인지 후끈하게 달아 오르는 얼굴을 부채질하며 열기를 가라 앉혔다. 그러고는 마음에는 없는 다리가 아프다는 헛소릴 하며 멋쩍게 웃자 픽 하는 소리와 함께 자리에 앉자는 말이 들려왔다. 수현을 따라 앉은 모래는 부드럽게 날 감쌌고 바다의 냉기 때문인지 모래는 뜨겁지 않았고 송골송골 맺히는 땀도 서서히 증발할 때 즈음이었다.

"발이라도 넣어 볼래?"

수현은 바다를 향해 손가락질을 하며 의사를 물어봤고 두려움보다 궁금증이 강해진 나는 고개를 천천히 끄덕인 뒤 수현의 눈을 바라 봤다.

"난 구경할래."

예상했던 수현의 대답이 나왔기 때문에 엉덩이에 붙은 모래를 털어내곤 나 홀로 바다를 향해 걸음을 뗐다. 발에 닿일 듯 말 듯 다가오는 파도가 묘한 이질감이 들어 발을 뒤로 빼내려 하자 저 멀리서 나를 부르는 소리가 걸음을 앞으로 나아가게 만들었다. 바다는 생각보다 따뜻했고 생각보다 부드러웠고 생각보다 아무렇지도 않았다. 바다를 향했던 두려움이 잠잠해졌고 수평선 너머를 바라보다 왜인지 눈물이 쏟아져 나올 것 같은 기분에 고갤 좌우로 흔든 후 뒤를 돌아보자 나를 애틋하게 바라보는 수현이 보였다.

그 순간,

이 세상엔 그 사람과 나, 둘만 남은 듯 수현을 제외하곤 아무것도 보이지 않았고 말로 형용할 수 없던 그 감정을 정의 내릴 수 있었다.

나를 부르는 그 입술
나를 향해 다가오는 그 걸음거리
나를 바라보는 그 눈빛
나를 대하는 태도
나를 위해 기꺼이 잠기는 그 세심함

아, 이건 단순한 감정이 아니었구나.

"왜 어디 아파? 무슨 일이야."

무언가에 홀린 듯 수현을 품에 안았다.

 "왜 그래 너. 어지러워? 더위 먹었나? 오늘 그렇게 안 더운데."

쫑알쫑알 말하는 수현을 더욱 강하게 끌어 안곤 들리지도 않을 혼잣말을 내뱉었다.

 "기분이 이상해."
 "응? 뭐라고? 못 들었어."

작게 웃으며 수현을 껴안던 팔을 풀곤 크게 말했다.

 "금방이라도 다 삼켜 버릴 거 같잖아."
 "갑자기? 뭐가? 왜?"
 "그냥 전부 다 삼킬 거 같애."

너도 삼켜버릴까 봐 겁나.

 "얼른 나가자. 여기 있으면 안 될 거 같아."

나를 끌고 가는 수현의 손길이 부드러워져 나도 모르게
손을 꼬옥 잡았다.

"땀 나. 손 빼."
"나갈 때 까지만."
"너 이렇게 수작 부리면 안 돼."
"응. 너한테만 할게 그럼."

툴툴거리는 말투와 달리 더욱 강하게 손을 잡아오는 너의
모순된 행동에 웃음이 새어 나왔다. 뜨겁게 타오르는 태양
아래 우리는 한없이 차가웠다. 너를 볼 때마다 마음이 답
답하고 알 수 없는 애틋함이 들었던 이유가 이것 때문일
까, 맞잡은 손이 떨어지지 않길, 믿지도 않는 신에게 간절
히 빌었다.

부디 이 감정을 (나만) 알게 해주세요.

.

 더위를 먹은 듯 도무지 가라 앉지 않는 얼굴의 열기가
점점 힘들어질 무렵 차갑게 닿이는 무언가가 나의 정신을

일깨웠고 그것의 정체는

 "아아?"

피식 웃으며 커피를 건네받곤 강하게 빨아 들이자 강렬한
카페인의 맛이 인상을 찌푸리게 만들었다.

 "너 커피 못 먹어?"
 "이걸 왜 먹는지 모르겠어."
 "너 아기네?"

자꾸 붉어지는 이 얼굴이 한 대 내려치고 싶을 정도로 수
치스러웠으나 자존심을 져버리곤 순순히 수현의 말에 고
갤 끄덕였다. 옆에서 들리는 킥킥 소리 마저도 듣기 좋아
질 정도면 감정은 자각하지 않는 게 베스트라고 뼈져리게
느꼈다.

 "다시는 안 먹을 거 같아."
 "먹다보면 나아져."
 "됐어. 너 많이 먹어."

킥킥 거리는 소리와 얼음 찰랑이는 소리가 어우려져 진정

한 여름의 소리가 만들어졌고 플라스틱 통에 위태롭게 맺힌 물방울이 소리 없이 떨어지자 그제야 난 수현의 눈을 제대로 바라봤다. 너의 더위는 나에게 다 옮겨진 듯 붉어짐 하나 없이 멀쩡하게 날 바라보는 너가 왜 이리도 나를 미치게 하는 걸까, 주체할 수 없이 벌렁 거리는 심장 소리를 감추기 위해 자리를 옮기기 위해 엉덩이를 떼려 하자 강한 손길이 나의 팔목을 잡았다.

"왜 자꾸 눈 못 마주쳐. 왜 그래."
"그런 적 없는데."
"뭔 소리야. 지금도 나 못 보고 있으면서."

점점 커지는 심장 소리가 나의 귀에도 들어오자 수현의 손을 뿌리치기 위해 애썼다. 하지만 그럴수록 더욱 강하게 조여오는 압력이 결국 도망 치려는 욕구를 포기하게 만들었다.

"그냥 더워서 그런 거 같아."
"...... 그래?"

의심의 눈초리가 느껴졌지만 애써 그 시선을 무시하곤 먼 곳으로 시선을 옮기자 나를 강하게 조이던 압력은 어느새 잦아 들어 팔에선 아무런 감촉이 느껴지지 않았고 이내 그 손은 나의 어깨를 툭툭 치곤 힘 없이 떨어졌다.

 "슬슬 가자. 너 더위 먹겠어."

나는 말 없이 파도 소리로 대답을 전달했고 모래알이 참방 거리는 소리만 귀에 울려 퍼졌다. 묘하게 서늘함이 느껴지는 바다를 뒤로 한 채 유유히 그곳을 벗어났다.

그 공간엔 얽혀 있는 발자국만 있었고
그것은 이내 바다에 의해 삼켜졌다.
애초에 그곳엔 아무것도 없었다는 듯

바다는 모든 걸 삼켰다.

.

 하염없이 걸었다. 누구한테 입 하나 벙긋 하지 않았고 더위에 지칠대로 지친 몸뚱아리에선 더 이상의 땀도 나오지 않는지 점점 흐려지는 시야만 나를 괴롭혔다. 그렇게 얼마나 걸었을까.

"마트?"

전혀 예상도 못 한 곳에서 우린 걸음을 멈췄다.

"너 돈 있어?"

수현은 안 주머니를 툭툭 두드리며 자랑스럽다는 듯 나를 바라보며 미소를 지었고 나 역시 피식 웃으며 마트에 들어갔다. 그곳은 여태 겪었던 여름 중에서 가장 시원한 곳이었고 멍하니 문 앞에 서서 냉기를 만끽한지 오랜 시간이 흐리지 않은 듯 한데 양 손에 이것저것 무언가를 사온 수현이 나의 시야에 들어왔다.

"계속 멍하니 서 있네."
"진짜 시원해 여기."

수현은 미친 사람처럼 배를 잡으며 깔깔깔 웃기 시작했고 그것을 본 난 붉어지는 얼굴을 주체하지 못 해 힘차게 고개를 돌렸고 그제야 정신을 차린 수현은 고인 눈물을 닦으며 고갯짓 했다.

"그래도 이제 나가자."

"내가 들게."

"됐어. 너 쓰러지면 안 돼."

"대체 뭘 이렇게 산 거야."

"아이스크림이랑 과자."

"다 먹을 수 있어?"

"당연히 다 먹지."

서로 시답지 않은 농담 섞인 대화를 하며 함박웃음을 짓는 수현의 눈길에 뜨겁던 태양의 열기는 느껴지지 않았고 태양은 말 없이 우리를 지켜볼 뿐이었다. 마침내 도착한 그곳은 더욱 예상하지 못 했던 공간이었고 건물과 수현의 눈을 번갈아 보다 이내 들려 오는 목소리에 그 공간에 들어갔다.

"들어가자 얼른."

죄를 짓는 기분이었다. 노란 빛으로 반짝이는 조명들, 빨갛게 채워진 바닥과 간간히 보이는 흰색 벽, 그곳은

"몇 명이에요. 두 명?"

모텔이었다.

.

"네 두 명이에요."

"학생인 거 같은데 신분증 보여 줄래요?"

"잘 곳이 없어서 그래요. 한 번만 안 될까요?"

"그래도 좀 곤란한데 그건......"

"야... 그냥 나가는 게......"

"...... 어? 그 때 봤던..."

흠칫 거리던 소리에 카운터를 향해 몸을 틀었다. 그러자 미치도록 익숙한 사람의 얼굴이 보였고 토끼 눈이 된 상 태로 그녀를 바라 보았다.

"기차에서 봤던..."

수현은 나와 그녀를 번갈아 보며 눈치를 살피는 듯 보였 고 나의 귓가에 속삭이며 말을 했다.

"누구야. 아는 사람?"

"기차 타고 내려 오면서 봤어. 그 때 제 기차표 내주신분, 맞죠."

엄마와 분위기가 미치도록 닮아 있던 아주머니가 이 공간에 있었던 것이다. 나의 은인이 되었던 사람이자 지나친 인연이라 생각했던 사람.

"학생 왜 여기에...... "
"아주머니는 왜 여기......"
"난 여기서 일한 지 오래 됐으니까 그런건데. 학생이 왜 여기에 온 거예요?"
"어... 그게..."
"꼴이 말이 아니네."

카운터 앞 거울에 비친 내 얼굴은 더위에 장식 되어 묘하게 들뜬 얼굴과 마르지도 않은 채 축축하게 젖어 있는 땀으로 인해 몰골이 말이 아니었고 그녀는 나를 바라보며 한숨을 깊게 내뱉다가 큰 결심이라도 한 듯한 어조로 말을 했다.

"304호로 가요."

그 말을 뱉곤 나의 손에 손수건과 키를 쥐어주곤 미묘한 표정으로 나를 바라보았다.

"아, 아니에요. 나갈게요. 죄송해요."
"딱한 사정 아니까 이러는 거에요."
"아니에요. 미성년자는 오면 안 되잖아요."
"죽은 아들 같아서 그래요. 괜찮으니까 쉬다가 가요."

이내 그 공간엔 짧은 정적이 돌았고 나와 아주머니의 눈치를 살피던 수현은 나의 손목을 끌곤 감사하다는 말을 여러 번 한 뒤 계단으로 걸음을 옮겼다. 카운터에서 들려오는 그녀의 깊은 한숨 소리가 나의 귀를 후벼팠다. 그 소리는 분노도 아닌 안타까움도 아닌

그리움이었다.

.

방으로 들어오는 길에는 아무런 대화도 이어지지 않았고 묵묵히 앞만 바라보며 걸어갈 뿐이었다. 알 수 없는 싱숭생숭한 감정에 나도 모르게 한숨이 터져 나왔고 멍하니 침대에 누워 거울이 달린 천장을 멍하니 바라봤다. 땀은 증발한지 오래였고 얼굴 곳곳에 묻은 열기만이 나의 얼굴

을 가득 매웠다.

　"땀 많이 흘려서 좀 씻고 올게."

나는 대꾸 없이 거울에 비친 내 모습만을 바라봤고 수현
도 별다른 말 없이 묵묵히 화장실로 들어갔다. 어차피 그
녀의 개인 사정이고 나랑도 관련이 없는 일인데 왜 이렇
게 마음이 아픈 걸까, 자식을 낳아본 적도 없고 잃어버린
적도 없는 나인데 어째서 그 아주머니의 표정이 나의 심
장에 박힌 걸까, 곰곰이 생각하다 침대에 누워 있던 상반
신을 일으켜 혼잣말을 했다.

　"사랑했기 때문이야..."

나는 엄마를 미친듯이, 그녀는 아들을 미친듯이 그리워 했
기에 사랑이라는 정서가 집어 삼킨 것이 아닐까. 눈물이
쏟아져 나왔다. 정신 없이 흐르는 눈물에 절규했다. 마르
지 않는 눈물이 뚝뚝 떨어져 침대 시트를 가득 매웠다. 폭
신하게 솟아있던 시트는 깊게 가라 앉았고 계속해서 차오
르는 눈물에 몸부림쳤다. 눈물을 흘릴 일도 아닌데 두 눈
에선 감당 할 수도 없을 만큼의 액체가 쏟아져 나오니 그
것은 당황스럽고 곤욕스럽기만 했다.

"미안해. 괜히 오자고 해서."

샤워를 다 끝냈는지 뜨거운 열기와 함께 나온 너가 보였으나 귀에선 아무런 말도 들리지 않았다. 숨을 헐떡이며 미안하다는 말이 은은하게 퍼지는 듯 했지만 눈물 소리와 숨 소리만 들릴 뿐이었다. 나의 어깨를 감싸는 너를 어떻게 바라보아야 하는 걸까, 머릿속을 가득 채우는 엄마의 얼굴이 너의 얼굴과 왜 이리도 닮아 보이는 걸까.

"엄마가...... 엄마가 보고 싶어..."

대꾸 없는 정적이 그리움을 만들었다. 괜찮아진 줄 알았는데 자살 기도라도 하고 나면 더 이상 아프지 않을 줄 알았는데. 점점 머리가 아파오며 숨이 차오르기 시작했다. 과호흡의 악순환이 영원한 고통 속에 머무르게 했다.

미안해 이런 나라서
미안해 엄마밖에 모르는 나라서
미안해 죽음을 바라는 나라서
미안해 너를

.

．

．

촉촉한 무언가가 나의 입을 삼킨다. 그 무언가에 놀라기는 커녕 숨을 쉴 수 있다는 안도감에 손이 벌벌 떨리기 시작했다. 과호흡이 잦아질 때 즈음 나는 이것의 정체를 입술이란 것을 알 수 있었고 제정신으로 돌아 왔을 땐 이미 깊은 황홀감에 잠겨 거부감 없이 너의 입술을 받아냈다. 질척 거리는 소리만이 섞여 더운 열기가 또 다시 스멀스멀 올라오기 시작했고 너나 나나 할 거 없이 그 순간만을 느꼈다. 황홀이 섞인 숨을 깊게 내뱉으니 수현은 나를 품에서 뗀 뒤 시선을 맞췄다.

"죽음을 선택하지 마. 그거 보다 나쁜 건 없어."

입가에 범벅이 된 체액을 살짝 닦아낸 뒤 눈꼬릴 접고 살짝 웃으며 말했다.

"내가 죽으면 너도 죽을 거야?"

몇 초의 정적이 흐른 뒤 너는 말했다.

"응, 그럴 거야."

결론을 내릴 수 있었다.

넌 나의 구원이자 악연이야.

.

침대에 함께 누워 거울 속에 비친 너와 대화 했다.

"그냥 모텔이 더 깨끗하잖아."

모텔에 오고자 했던 의문에 대한 대답은 너다웠고 바람 빠진 웃음 소리가 공간을 채웠다.

"웃으니까 보기 좋아."

담배를 피우고 싶은 기분에 주머니에 손을 가져다 대자 팔목을 강하게 잡는 손이 나를 막았다. 고개를 절레절레 흔들고 있는 너가 있었고 뒷머리를 긁은 뒤 얇은 손 위에 겹쳐 올렸다. 말 없이 정적을 느끼다 바다를 보러 가자고 말했고 누구 하나 불평 없이 서로의 손을 강하게 쥐곤 자리에 일어났다. 아무도 격렬히 했던 키스에 대해 아무런 언급도 하지 않았고 묵묵히 걸었다. 카운터엔 텅 빈 푹신 의자만 남아 있었고 그저 나를 이끄는 손길에 파도처럼 떠밀려 갈 뿐이었다. 힘차게 울리는 종의 소리가 귓가를 타고 울려 퍼졌다.

좋지도 나쁘지도 않은 얼떨떨한 소리였다.

해는 뉘엿뉘엿 수평선 아래로 잠들고 있었고 사라지는 해와 너를 번갈아 바라봤다. 노을로 인해 주황 빛으로 반 짝이는 얼굴이 태양보다 예뻤다. 무언가 할 말이라도 있는 듯 입을 뻐끔 거리며 타이밍을 재고 있는 너를 멍하니 바라 보았다. 파도의 울음 소리가 잠잠해질 때 즈음 큰 결심 이라도 한 듯 넌 나의 손을 놓지 않은 채 말을 했다.

"... 밤 바다 좋아해?"
"... 응 좋아해."
"... 그러면 해 완전히 질 때까지 있다가 들어가자."
"...... 그래."

한 템포씩 늦어지는 대화의 흐름을 이어 나가려 헛기침을 했으나 너는 나의 눈을 바라보기는 커녕 모래 장난이나 하며 시선을 피하고 있었다. 왜인지 계속 되는 긴장감에 이미 머릿속에서 엄마 생각은 사라진 지 오래였고 강하게 남아 있는 입술의 감촉이 사라지지 않아 입술을 만지작 대며 바다를 바라 보았다.

"민트 맛 좋아하나 봐."

호기심에 샀던 구강청결제가 민트 향이 났던 걸 이제서야 깨달았다. 순식간에 달아 오르는 듯한 얼굴에 더듬거렸다.

"싫, 어하진 않아."
"뭐야 그 말투."

그제야 서로의 눈을 바라본 우리는 작은 실소를 터트렸고 그 순간이 영원하길 바랬다. 삶을 이어 나가게 해주는 원 동력을 지닌 너와 함께 세상을 극복하고 싶다. 이 지옥 같 은 세상에서 너라는 사람을 영원하고 싶다.

"영원히 보고 싶어."

너를

"나도 영원히 보고 싶어."

"뭐를?"

-......

너를

너는 대답 대신 나의 손을 더욱 강하게 잡아 왔다. 침묵의 결말이 이와 같은 행동이라면 난 더 이상 불안해 할 필요가 없다. 너의 어깨에 기대어 바다를 바라 보았다. 이 짧은 시간에 주황색 하늘은 어느덧 검정색으로 바뀌었고 은은한 바닷 바람을 맞으며 너의 옆모습을 바라 보았다. 굳게 닫힌 입술을 바라보니 담배 생각은 전혀 나지 않았다. 더 이상 이 감정을 부정할 수 없었다.

"죽지 마. 영원히."

나랑 영원해

"안 죽어. 영원히."

참방 거리는 파도 소리를 멍하니 듣고 있으니 바다의 웅장함이 더 이상 느껴지지 않았다. 서로를 동시에 바라보던 그 타이밍, 우리는 마치 연인이라도 된 듯 녹아버릴 듯한 키스를 한 번 더 하곤 서로에게 소속 됐다. 처음 이곳에 도착한 그 날, 홀로 빗속에 있던 나는 사라진 지 오래였고 함께 비를 맞아주는 사람이 생겨난 지 오래였다. 영원할 듯한 키스를 마무리 한 후 서로의 눈을 바라보다 모텔로 돌아갔다. 여전히 꽉 잡은 손은 놓지 않은 채. 손에 땀이 나도 상관 없었다. 끈적한 파도의 짭짤함이 느껴져도 상관 없었다. 다만, 내일이 영원히 오질 않기를, 간절히 바랬다. 침대에 같이 누운 그 순간에도, 또 다시 뜨거운 키스를 한 그 순간에도, 잠들기 직전 그 순간에도.

.

기도와 무색하게 또 다시 아침은 밝아 왔다. 졸릴 눈을 비비며 바라본 옆엔 싸늘한 냉기만이 남아 있을 뿐이었다.

너는
어디에도 없었다.

한 순간도 잊은 적 없었다

 불순하게 살아왔던 내가 이렇게도 안정감을 지닐 수 있는 걸까, 나의 불안감은 사라진 듯 했다. 라고 생각하고 싶었지만 그건 언제까지나 나의 바램이었다. 너의 죽음을 간접적으로 느낀 뒤부터, 나의 감정을 자각한 후 끊임없이 찾아오는 불안함이 육체를 절벽 끝으로 몰고 갔다. 이젠 내가 널 지켜내야지 라고 머릿속으로 여러 번 되뇌어 봤지만 능력도 없는 내가 할 수 있는 건 너가 잠든 뒤 간절히 하는 기도밖에 없었다. 아직도 난 고통에 몸부림 치던 너의 모습이 생생한데 내가 잘 지켜낼 수 있을까? 난 아직도 얼어 붙은 감옥에 갇혀 살고 있는 듯한데.

나는 역시나 아무것도 하지 못 했다.

 "안 죽어. 영원히."

허황된 망상이었다. 밤마다 찾아오는 너의 죽음이 나를 죽음으로 몰고 간다고 하면 너는 과연 어떤 반응을 보일까. 모든 게 내 탓 같았다. 처음부터 나랑 엮이지 않았더라면 너의 인생이 지금보다는 나았을까. 너를 조금이라도 더 편한 곳에서 재우고 싶었고 너를 조금이라도 기쁘게 해주고 싶었다. 나의 심정을 파악이라도 한 듯 너는 매 순간 아이처럼 웃었고 그 때마다 내가 지닌 죄책감은 더욱 커져갈 수 밖에 없었다. 커져만 가는 불안을 잠시 잠재운 건 함께 봤던 바다였다.

너와 함께 바라본 바다는 여태 본 바다 중 제일 아름다웠다.

.

 바다와 함께 있던 너의 모습은 윤슬처럼 빛났고 반짝이던 너의 입술에 나의 입술을 맞대고 싶었다. 너를 지키고 싶었던 두뇌는 욕망이라는 감옥에 삼켜졌고 무겁게 떨어지는 너의 눈물을 본 순간, 정신을 붙잡을 채 없이 너의 가려린 입술에 손을 댔다. 너의 입술은 사탕처럼 달콤했고 마치 마약처럼 끊을 수 없을 듯 했다. 이기적인 욕심인 거 알고 있지만 '나랑만' 영원하길 바랬다.

이런 나의 기분을 알까, 욕망에 찌든 까맣게 물들어진 흑심을 알까.

.

아무리 예쁜 바다를 보아도 바다보다 예쁜 너의 입술에 닿여도 알 수 없는 거리감이 느껴졌다. 키스를 하다 문득 떠올렸다. 수평선 너머까지 넓게 펼쳐진 바다에 비하면 나는 너무나도 속 좁은 사람이었던 것이다. 아직도 나를 괴롭히던 질타와 아니꼬운 시선들이 생생하게 느껴지는데. 나 같은 열등감 덩어리가 너를 사랑하고 그리워해도 되는 걸까. 부정적인 생각이 들 때마다 너를 바라보며 위로를 얻고 구원 받는 듯한 느낌이 들었다. 하지만 세상 조차도 나를 용납할 수 없는데 언제까지나 네가 내 곁에 머물러 줄까? 나는 세상과 어울리지 않았다.

너에게 거짓말을 했어.
영원을 지키지도 못 할 거면서
영원을 지키겠다고 약속했어.

바다를 바라보던 너의 모습은 너무도 아름다워 오히려 쳐다볼 수가 없었다. 점점 젖어오는 손의 끈적임이 느껴졌지만 조금이라도 너에게 오래 닿고 싶어 모래를 만지작대다 참을 수 없는 정적을 깨기 위해 한 말이 밤 바다라는 것을 알까. 그것을 좋아한다고 말하는 순간에도 너를 바라보지 못 했던 나를 원망했다. 촉촉하게 젖어 있는 입술을 만지작 거리던 너, 영원히 보고 싶다는 너, 영원히 죽지 말라던 너. 한 번 더 너의 입술을 건드렸다. 어두운 밤에도 또렷하고 생기 있는 빨간 입술이 얼마나 이쁜지 알까. 다행이었다. 적어도 날 싫어했던 건 아닌 듯 해서. 만약에, 아주 만약에 너도 날 사랑한다면 이것만큼 큰 영원은 없어.

그렇다면 난 죽어도 좋아.

.

 너의 보답이 사랑이라고 생각해도 될까? 너는 기억할 지 모르겠지만 잠꼬대로 했던 그 말을 난 아직도 기억해.

 "사랑 하는 거 같아. 죽음이 와도 너를 사랑해."

그 말을 뱉은 뒤 나의 팔을 끌어 당겼던 날이 생생해, 그래서 난 너무 미안해. 너의 사랑을 영원히 지니기 위해 내가 할 수 있는 일이 (죽음 밖에) 없기 때문에. 난 이기적인 사람이야.

그렇기 때문에

너의 죽음을 내가 가지기로 했어.

.

햇빛이 쨍쨍하던 시간에 바다를 바라보던 그 눈길을 잊을 수가 없었다. 그 때 너의 눈빛이 어땠는지 넌 알 수 없을 것이다. 금방이라도 바다를 삼킬 듯한 그 눈빛이 얼마나 나의 심장을 졸이게 했는지 알 수 없을 것이다. 황홀한 바다에 잠길 너를 생각하면 숨이 턱 막히는 감각 때문에 두려웠다. 너를 지키고 싶었다.

 "금방이라도 다 삼켜버릴 거 같잖아."

너를 삼키기엔 넌 아직 너무 착해. 삼켜버리는 건 나 하나로 충분해.

.

 편지 아닌 편지를 썼다. 하고 싶은 말이 너무나도 많았는데 전하고 싶은 것도 너무나도 많았는데 작은 종이에 어떤 말을 할까 곰곰이 생각하다 글을 썼다. 너를 가지기엔 내가 너무 초라하기 짝이 없어. 계속 되는 자기 혐오를 절대 고칠 수 없어. 암흑으로 물 들어 버린 내 육체가 너를 갈망 해서는 안 돼. 너를 사랑해선 안 돼.

상처로 범벅이 된 나의 팔이 한 때는 자랑스러웠는데 이제는 추악할 뿐이었다. 사고를 당한 후 머리와 등에 생긴 흉터, 한 때 자살을 기도했던 날 목에 강하게 박힌 흉터, 아픔을 감추기 위해 새긴 문신도 이제는 다 지겨웠다. 너를 사랑하면 다 괜찮아질 줄 알았는데 그럴 수록 비참해 지는 기분은 뭘까, 나는 사랑이라는 흔적이 희미하기만 한데 선명하게 비춰오는 너의 사랑 받은 그 눈길이 열등감으로 자리 잡힐 줄은 몰랐다. 역시 난 너라는 사람과 어울리지 않아.

▪한 순간도 잊은 적 없었어.

 고심 끝에 남긴 글은 고작 이 한 마디었다. 혹여나 너가 잠에서 깰까 땀을 뻘뻘 흘리며 몇 시간을 고심 했는데 짧은 말 한 마디 하려고 손을 부들부들 떨던 게 웃음이 터져 나왔다. 아아, 너를 너무 사랑하나 봐. 눈 떴을 때 내가 사라진 걸 알면 너는 어떤 반응을 보일까. 너무 울지 않았으면 좋겠는데, 이런 열등감 덩어리를 그리워할 필요는 없는데, 혹시나 울면 너의 눈물을 닦아줄 사람은 없는데. 라고 생각을 하다 나의 눈에서 물이 흐르고 있음을 알 수 있었다. 주체 없이 흐르는 눈물이 역겨워 졌다. 이제와서 죽음이 두려워 지기라도 한 듯 몸은 점점 너를 향해 기울었고 곤히 잠들어 있는 너의 머리를 쓸어 넘겨 감긴 두 눈을 바라 보았다. 기분 좋은 꿈이라도 꾸는 듯 은은하게 미소 짓는 너를 보니 나도 모르게 웃음이 나왔다. 아주 잠시 삶의 경계에 가까이 서고 싶어졌다. 단지 너의 미소 때문에.

그러나 감정은 계속해서 자기 혐오를 만들어갔고 어느새 도착한 곳은 바다였다. 열대야가 찾아오는 듯 새벽임에도 불구하고 바람은 불지도 않고 오히려 포근해지는 기분에 웃음을 지으며 걸었다. 아무도 다니지 않는 모래 사장이 마음을 차분하게 만들었고 바다의 중앙으로 걸음을 옮기자 어느 순간부터 닿이지 않는 발에 숨이 턱 막혔다. 하지만 그마저도 잠시일 뿐 전신을 삼키는 바다가 여태의 삶중 제일 편안하게 느껴졌고 그 공간에서 눈을 감고 바다의 감촉을 천천히 느꼈다. 그리곤 이내 바다와 한 몸이 되어갔다. 처음 너를 봤던 순간부터 키스를 하던 순간까지 엄청난 양의 사진들이 채워졌고 그것이 주마등임을 알 수 있었다. 두렵지도 않았고 무섭지도 않았다.

그냥 마지막으로 한 번만 더 널 안아줄 걸.

.

정신이 점점 흐려지고 누군가의 목소리가 울려 퍼졌다.

"마음껏 표현한 거 같니?"
"...... 네 다 표현 했어요."
"후회는 없니?"
"..."
"그동안 많이 힘들었지?"

차오르는 눈물이 나의 시야를 가리고 누군가가 나의 등을 계속해서 토닥여 줬다. 나는 계속해서 흐느끼며 그 사람의 품에 안겨 몸을 벌벌 떨었다.

"후회 해요. 한 번만 더, 딱 한 번만 더 보고 싶어."
"후회는 후회를 낳을 뿐이야."

"딱 한 번만 더 보면 안 돼요? 나 그래도 행복하게 살진 않았잖아."

그저 따뜻한 손길만 나의 품에 가득 차오를 뿐이었다. 아무리 갓난 아기처럼 떼를 써도 그는 포근한 미소만 가득 지을 뿐 허락이라는 대답은 허용해 주지 않았다. 벌벌 떨리는 손으로 그의 가슴팍을 약하게 내리쳐도, 허리춤을 붙잡고 매달려 보아도, 슬픔이라는 고통에 몸부림 쳐도, 결말은 바뀌지 않았다. 그렇다. 난 이미 이승의 경계를 넘은 나약한 사람일 뿐이었다.

"푹 쉬자 수현아, 넌 나쁜 아이가 아니었어."
"... 여기서는 착한 아이가 될 수 있을까요?"

서서히 숨이 턱 막히는 고통에 눈물 마저도 막혔다. 점점 하얗게 바뀌는 시야가 두려움 보단 오히려......

숨통이
끊긴다.
고통은
없었다.

"드디어 좋은 마음가짐을 만들었구나."

새로운 세상이 나를 반겼고 그곳에서의 나는

.

.

.

.

.

.

헹복한 아이였다.

따뜻한 바다

 미친 사람이 된 것 같은 기분이었다. 참을 수 없는 과호흡이 육체를 괴롭혔고 난 한 없이 무력한 사람이 되어 있었다. 눈에는 점점 초점이 흐려지고 계속해서 쓰러지는 다리를 여러 번 내려친 뒤 미친 듯이 계단을 내려갔다. 내 손엔 이미 형체를 알아 보기 힘들 정도로 구겨진 종이가 쥐어져 있었고 혹여나 글자가 번질까 싶어 구깃구깃 주머니에 넣곤 모텔을 황급히 벗어났다. 뒤에서 누군가가 나를 부르는 듯 했지만 개의치 않다는 듯 계속해서 뛰었다. 이미 내 시야엔 눈물이 차올라 앞이 보이지도 않았지만 그래도...

너와 함께 왔던 마트, 너와 함께 걸었던 도로, 너와 함께 느꼈던 바다까지. 모든 곳을 되짚어 봤지만 그 어디에도 넌 없었다. 고개를 절레절레 흔들며 머리를 강하게 감싸 쥐었다. 나의 압력을 이기지 못 해 술술 빠지는 머리카락은 신경도 쓰지 않고 천천히 숨을 고르며 온갖 상상의 나래를 펼쳤다. 아무리 긍정적인 방향으로 생각을 해보려고 해도 도무지 이 머리에선 최악의 상황만 떠오를 뿐이었고 이내 웅성웅성 거리는 곳을 향해 고개를 들었다. 언제 온지도 모를 구급차와 경찰차가 보였고 숨을 다 고르기도 전에 또 다시 미친듯이 달렸다. 호흡이 턱 끝까지 차올라도 별 상관 없었다.

나의 호흡보다 죽어가는 너의 호흡이 **훨씬** 중요했기 때문에.

.

　불길한 예감이 전신을 삼켰다. 불쾌하고 역한 기분이 뒤엉켜 뿌리 깊은 나무를 만들었고 그 뿌리는 이내 땅 속 깊숙이 파고들어 자리를 잡았다. 조일듯이 고통스러운 심장과 줄줄 흐르는 침과 눈물을 뒤로 하고 그곳을 향해 도착하니 **훨씬** 소란스러운 상황으로 인해 머릿속이 저릿거리며 아무것도 할 수 없었다.

　"여기 오시면 안 돼요. 뒤로 가세요."

　"네, 여기는 지금........."

　"죽었나 봐. 어쩜 좋ㅇ........."

"어려 보이는데 어떡ㅎ......"

영화에서나 볼 법한 상황들이 시야에 펼쳐졌다. 출입을 통제하는 보안원과 안쓰러운 듯 혀를 끌끌대며 수근 거리는 사람들, 무슨 중요한 얘기라도 하는 듯 표정이 굳어 있는 형사, 싸늘하게 식은 채 흰 천을 덮고 있는 누군가까지. 구역질과 두통, 주체없이 떨리는 손과 발이 그 자리에서 벗어날 수도 없게 만들었다. 벌벌 떨리는 입을 떼곤 비로 옆 머리 묶은 여자에게 말을 걸었다.

"혹시... 무슨 일... 생긴 거에요...?"

여자는 시신에 눈을 떼지도 않은 채 설렁설렁 대꾸 했다.

"자살 했나 봐요. 얘기 들어 보니까 학생이라는 말도 있던데... 안 됐네요."
"...... 혹시 학생 어떻게 생겼대요...?"
"그것까지는 모르겠지만 팔에 흉터가 엄청 많았다던데. 탈색 했대요."

숨이 턱 막히며 몸에서 힘이 빠져 나가는 것이 느껴졌다. 참을 수 없는 떨림이 다리의 힘을 완전히 풀리게 했고 차가운 걸 넘어선 서늘한 모래 위에 털썩 주저 앉아 멍하니 흰 덮개를 바라봤다. 옆에선 나의 어깨를 만지는 여자의 손길이 느껴졌지만 멍하니 덮개를 보다 중얼중얼 혼잣말을 하며 오열했다.

 "너일리가 없잖아. 그래서는 안 되는 거잖아. 아니야. 아니야 절대로."

괜찮냐고 물어보는 여자의 물음에 대답도 하지 못 한 채 계속해서 눈물을 쏟아 내는 것, 내가 할 수 있는 유일한 행동이었다. 슬픔을 막아 내기엔 이미 돌이킬 수 없는 강을 건너 버렸고 여자는 나를 묵묵히 바라보다 유유히 자리를 떠났다. 멍하니 한 곳을 응시하던 나는 다리를 벌벌 떨며 그 누구도 넘어서는 안 될 폴리스라인을 넘었고 금단의 구간에 들어왔다. 무슨 자신감이었는지는 모르겠지만 화를 내며 자살이니 타살이니 주장하는 사람들을 무시한 채 전신에 무겁게 짓눌러진 천을 살짝 걷어냈다. 차갑게 식어버린 손과 보기 안 좋게 새겨진 흉터가 도무지 말로 설명할 수 없었다. 이는 두려움도 고통도 분노도 그 무엇도 아닌 안쓰러움이었다.

.

천에 다 숨겨지지 않은 머리카락은 노란 빛으로 반짝이고 있었고 손을 뻗어 그곳에 묻은 모래 알갱이를 털어내자 어제 볼에 닿였던 차가운 커피가 생각난 건 왜일까.

흘러 내릴 듯한 눈물을 어떻게든 억누르곤 손을 뻗어 강하게 눌린 천을 걷어내자 핏기 하나 없이 창백하게 뜬 얼굴 빛, 굳게 감고 있는 두 눈, 이마에 눅눅하게 붙어있는 머리카락, 건조하게 말라 비틀어진 입술과 선명하게 남아있는 피어싱 구멍과 목의 문신과 미동도 않는 육체까지.

너가 확실했다.

이러기 위해 바다에 오자고 한 게 아니었는데 또 다시 후회가 후회를 낳는다.

너에게 있어서 바다는
자살을 기원하던 곳이었던 거야?

묵념을 하며 결론을 내렸다.

사랑의 대가는 죽음이다.

.

 말싸움을 벌이던 그들이 나를 향해 미친듯이 달려오기 시작했다. 벌레 쫓듯이 나의 전신을 부여 잡고 떨어 트리려 하는 그들의 팔을 뿌리치기 위해 바등바등 거렸다. 근데 이 몸은 어째서 꼼짝도 않고 그들의 손아귀에서 벗어날 수 없는 것일까. 끝내 축 늘어진 채로 너의 손을 놓았다. 너가 내 눈 앞에 있는데. 손만 뻗으면 닿을 거리에 너가 있는데. 아무것도 할 수 없는 나 자신을 원망하고 분노했다.

난 아직도 여전히 너의 그 향기와 눈빛, 그 날의 분위기까지. 모든 게 생생하게 남아 있는데.

왜

이 자리에 너는 없는 거야?

죽지 않겠다고 웃으며 날 바라보던 너는 거짓이었던 거야?
너의 사랑은 죽음인 거야?

이기적인 새끼
빌어먹을 새끼

널 다시 죽이고 싶을만큼 너가 너무 보고 싶어.

.

멍하니 하늘을 바라 보니 구름 한 점 없이 맑은 색이 보였다. 너를 처음 봤을 때 올려다 본 하늘은 미치도록 캄캄해서 내 눈물도 보이지 않았는데, 미치도록 빛나는 하늘이 밝혀주는 나의 눈물에 괴리감이 느껴졌다. 풀린 동공으로 주변을 둘러 보니 모래 더미 위에 힘 없이 누워있는 내가 보였다. 그 사이에 기절이라도 한 듯 머리가 깨질 듯이 아팠고 구역질을 연신 반복했다. 그 와중에도 난 깊게 잠들어 있는 수현의 얼굴이 떠나질 않았다. 강한 압력으로 또 다시 이마와 머리카락을 쥐었다. 슬픔을 이기지 못 한 육체에서 고함만 뿜어져 나왔고 이내 그 소음은 쇳 소리로 바꼈다. 이렇게 발악을 하는 동안에도 아무 일도 없었다는 듯이 세상은 평화롭게 흘러 가기만 했다. 해수욕장을 걸어 다니며 산책하는 사람들, 테닝을 즐기는 사람들까지. 그래,

너가 죽은 게 아니야

세상이 널 죽인 거야

.

 한바탕 소동이 파도에 휩싸이듯 사라졌다. 웅성웅성 거리던 그 시간, 방송국에사 찾아와 북적 거리던 그 시간, 요란하게 울리던 사이렌 소리가 다 지나가니 남은 건 침묵이었다. 바다에 가까이 다가가니 빛나는 무언가가 나의 시야에 들어왔고 그것은 은색으로 빛나던 귀걸이였다. 귀걸이가 없으면 자신이 아니라고 하던 시덥지 않은 농담들이 머릿속을 스쳐 지나갔다. 입술을 강하게 깨물자 입 안에 퍼지는 알싸한 피의 맛이 느껴졌다. 헛웃음을 짓고 난 뒤 주머니에서 구겨진 쪽지를 꺼내 한 번 더 소리내어 읽었다.

■한 순간도 잊은 적 없었어.

빼뚤빼뚤 힘 있게 쓴 글자들이 너의 약한 마음을 감추려는 듯 보인 건 기분 탓일까, 한 동안 멍하니 글자들을 보다가 귀걸이를 손에 꼬옥 쥔 뒤 종이와 함께 주머니에 구겨 넣었다. 여운이 채 가시기도 전에 코를 훌쩍이며 한 번 더 바다를 바라 봤다. 아아, 금방이라도 삼켜버릴 듯한 이 바다에 오는 게 아니었는데. 아니, 애초에 삼켜버릴 거 같다는 말을 하지 말 걸. 입이 방정이었다. 유유히 모래 사장을 걸어나와 어디든 걸었다. 너가 어디 병원으로 갔을지 어디 납골당에 안치 됐을지 온갖 생각을 하며 정처 없이 그냥 걸었다. 한 발짝 한 발짝 나아 갈수록 퍼즐처럼 조각들이 하나 하나 맞춰지기 시작했다. 이 한 걸음은 빵을 나눠 먹던 너와 나, 이 한 걸음은 비를 맞으며 뛰어다니던 너와 나, 이 한 걸음은 미친듯이 서로를 껴안아 주었던 너와 나, 이 한 걸음은 갈증에 목말라 입술을 탐했던 너와 나......

.

 심호흡을 한 번 깊게 내뱉곤 그 공간으로 들어갔다. 여전히 듣기 거북한 쇳 소리가 고막을 먹었고 멍하니 신발장 앞에 서서 주변을 둘러 봤다. 음식물 쓰레기를 제대로 치우지 않아 벌레가 꼬여버린 비닐, 곳곳에 뭉쳐있는 먼지 구덩이들, 장시간 환기를 시키지 않아서 풍겨오는 쿰쿰한 냄새와 여전히 소리 내며 돌아가고 있는 선풍기까지. 한숨을 쉰 뒤 대청소를 시작했다. 시간이 얼마나 흘렀을까, 땀이 송글송글 맺히는 게 느껴질 때 즈음 깨끗해지지 않을 듯 했던 공간은 광을 뿜냈고 한숨 돌리기 위해 주머니에 주섬주섬 손을 넣어 담배를 꺼냈다. 불을 붙이려던 찰나, 나의 팔을 붙잡던 수현의 손길이 생각나 입에 물던 담배를 떨어 트리곤 발로 강하게 담배를 짓밟았다.

- 허어... 허억... 허어...

거친 숨을 내뱉고 정신을 차려보니 담배는 이미 산산조각 난지 오래였고 자리에 주저 앉아 벽에 몸을 기댔다. 그러곤 입을 틀어 막고 소리 없이 울었다. 까맣게 보이던 시야는 어느새 하얗게 보이기 시작했고 이상한 기분에 주변을 둘러보니 안개로 가득 채워진, 몽글몽글한 비누 향이 가득한 처음 보는 공간이었다. 현실과 괴리감이 느껴지는 이 상황에서 벗어나기 위해 계속해서 뒷걸음질을 쳐 봤지만 도망칠 길은 전혀 없었다. 멘탈을 놓지 않기 위해 차분히 상황 파악을 하려던 순간, 깊은 울림의 목소리가 나를 부르기 시작했다. 묘하게 익숙하게 느껴지는 그 소리를 들은 난 미친듯이 심장이 뛰었고, 목소리를 들은 순간 경악을 멈출 수가 없었다.

"미안해."

공간 전체를 울리던 소리는 어느 순간 나의 뒤에서만 울리기 시작했고 설마 하는 기분에 뒤를 돌아보니

"놀랐지."

너가 있었다.

끝만 노랗게 뻗쳐 있는 그 머리, 흉터로 얼룩진 육체, 금방이라도 빨려 들어갈 듯한 동그란 눈, 한 곳만 비워져 있는 피어싱 구멍까지.

"...... 뭐야 너?"

태평하게 웃고 있는 너의 얼굴

"하하, 뭐긴 나 이수현이지."

태평하게 걸걸 하면서도 청량한 너의 목소리

"뭐하자는 건데 너? 뭔데 너. 이럴 거면 가. 그냥 가라고."

툭툭 쳐내도 가만히 느끼고만 있는 너의 반응

 "내가 가도 넌 나 봐줄 거야?"

은은하게 느껴지는 너의 떨림

 "미운데 널 왜 봐. 싫어. 가 그냥."
 "난 너가 안 미운데 어떡해."

부드럽게 타고오는 너의 손길

 "거짓말. 지키지도 못 할 약속 하지나 말지."
 "지켰어 난."

알싸한 담배 내음이 느껴지는 너의 체향

 "뭘, 어떤 걸 지켰는데 너가."
 "영원 하겠다는 약속."
 "지랄 하지 마. 너가 어떻게 영원을 말할 수 있는 건데."
 "너가 가지고 있잖아. 내 영원."

주머니 안을 툭툭 두드리는 너의 행동

"...... 귀걸이?"
"응. 그러니까 난 네 곁에 영원 하겠다는 약속 지킨 거야. 그러니까 나 미워하지 마."

순식간에 날 덮쳐오는 너의 입술 그리고
차갑게 흐르는 너의 눈물

그렇다.

내가 지닌 모든 것이 다 너의 영원이었다.

"... 가지 마."
"... 가야 돼. 또 만나자. 다시 보면 귀걸이 줘. 그 때까지 너가 지녀야 돼. 알겠지?"
"...... 응 그럴게. 꼭 와."

이대로 너의 품에 안겨 정신을 잃고 싶었다. 나무보다 따뜻한 너의 품에 안겨 너와 닮은 꽃을 피우고 싶었다. 공허한 마음을 채울 수 있는 유일한 매개체가 너라는 걸 과연 알까, 점점 흐려지는 너의 형상에 괴로웠다. 한 번만 더 그 손을 잡고 싶고, 한 번만 더 붉은 볼에 손을 대고 싶은 데. 아른 거리는 너를 있는 힘껏 껴안았다. 바스라지듯 조각 조각 사라지는 너를 보며 신을 위해 빌었다.

한 번만 더 그 손을 잡게 해주세요.

제발

딱 한 번만 더......

.

　얼마나 깊은 잠을 잤는지 벌써 하루가 지나버린 상황에 헛웃음 지었다. 잠에 취한 정신을 깨우기 위해 뺨을 툭툭 내리쳤고 손에서 느껴지는 온기를 가득 움켜 쥐었다. 양치질이라도 할 겸 주섬주섬 몸을 일으켰다. 그러자 갓 태어난 동물처럼 비틀 거리다가 바닥으로 고꾸라졌고 잘못 넘어졌는지 코에선 피가 흘러나오기 시작했다. 검붉은 색으로 뚝뚝 떨어지는 피를 바라보다 멍한 정신으로 고개를 뒤로 젖혀 피를 막았다. 그렇게 얼마나 시간이 흘렀을까, 더 이상 코에서 이물감이 느껴지지 않자 두통을 없애기 위해 관자놀이를 여러 번 문지른 뒤 몸을 일으켰다.

"머리 더럽게 아프네."

제정신이 아닌 상태로 세면대에서 나오는 수돗물만 벌컥 벌컥 들이켰다. 아무런 맛도 안 나는 물을 먹다 시선을 옮겨 거울을 바라봤다. 그 사이 진해진 다크써클과 풀린 동공, 피로 물들어 버린 코 주변, 이마에 송골송골 맺힌 땀까지. 입술을 꾸욱 깨물곤 고개를 푹 숙여 찬물로 세수를 했다. 얼마나 과격하게 했는지 온 사방에 튀어버린 물줄기가 신경 쓰여 바닥에 내팽겨둔 수건을 손에 쥐곤 벅벅 닦아낸 뒤 밖으로 나와 하늘을 바라봤다. 오늘따라 더욱 뜨겁게 내리쬐는 태양 빛이 올려다 보던 고개를 다시 땅 밑으로 향하게 만들었고 초라하기 짝이 없었다.

벌써 담배를 안 피운지 얼마나 흘렀는지도 알 수 없었다. 그토록 원하던 금연을 할 수 있을 듯한데 기쁨은 커녕 답답함만 몰려올 뿐이었다. 끊임 없이 찾아오는 고독감과 우울감이 나를 삼키기 시작했다. 벌써부터 금단 증상이 오는 것이기 때문일까? 라고 생각을 바꿔보기로 하자 조금은 편해지는 듯한 망상에 잠겼다. 그러곤 미친 듯이 웃었다. 주변 사람들이 웅성 거릴만큼 엄청난 소리를 내며 미친 듯이 웃었다. 몸까지 휘청거리며 배를 잡고 깔깔 웃었다.

웃으니 아무런 잡생각이 들지 않아 좋았다. 진지하게 정신과를 가야하나 라는 생각도 했으나 그마저도 잠시 뿐 자갈에 발을 끼었곤 드르륵 거리며 발장난을 쳤다. 그러다, 번쩍 하는 생각과 함께 자리에서 벌떡 일어나 집으로 부리나케 달려갔다. 미친듯이 집을 뒤져 휴대폰을 손에 쥐었다.

"새벽 4시 10분 경 정동진 해변에서 10대 사망한 채 발견……"

"가출 청소년…… ㅇㅇ 병원으로 옮겨져……"

부리나케 걸음을 옮겨 밖으로 나왔다. 그렇게 한참을 달렸을까, 턱 끝까지 차오르는 호흡을 간신히 내뱉곤 택시를 잡았다. 땀으로 범벅이 된 나를 기꺼이 태워준 아저씨에게 감사의 인사를 표하곤 어디로 가냐는 그의 물음에 거친 숨을 내뱉으며 입을 뗐다.

"ㅇㅇ 병원으로…… 빨리… 가주세요."

.

잔잔하게 들려오는 클래식만 울려 퍼졌다. 백화점에서나 나올 법한 그런 음악을 들으니 나도 모르게 마음이 편안해져 눈을 감으려던 찰나였다. 혼잣말을 중얼 거리던 그는 라디오를 이리저리 만지더니 뉴스가 나오는 채널로 바꿨다. 젊은 듯한 느낌의 아나운서가 왜인지 너의 목소리와 닮은 듯해 뉴스에 귀를 기울인 채 눈을 붙였다.

-새벽 4시 10분 경 정동진 해변에서 10대 학생이 사망한 채 발견 되었습......

"저기 죄송한데 라디오 좀 꺼주시겠어요? 머리가 좀 아파서요."

끄응 거리는 소리와 함께 오늘의 날씨를 알리는 다른 아나운서 목소리가 들려오자 안도의 한숨을 내쉬곤 창 밖을 바라 봤다. 밝게 빛나고 있는 햇살이 왠지 기분 나빠져 다시 고개를 돌려 바닥을 향해 시선을 옮겼다. 택시 안에선 아무런 대화도 이어지지 않았고 쿵짝 거리며 흘러나오는 트로트 가수의 목소리만 공간을 가득 채웠다. 슬슬 멀미로 인해 머리가 아파올 때 즈음 미터기가 작동하는 소리가 들려오곤 11,000원 이라는 가격이 보였다. 돈을 많이 챙기길 잘했다는 생각을 한 뒤 기사 님께 돈을 건넨 뒤 병원

안으로 들어갔다. 엄청난 인파로 쌓인 병원에선 묘한 긴장
감이 느껴졌다.

.

웅성웅성 거리는 사람들의 소음이 전신을 요동치게 만들
었다. 엄마를 떠나 보냈던 그 병원과 왜인지 이미지가 겹
치게 보여 시야가 흐려질 뻔 한 걸 간신히 버텨내곤 아무
나 붙잡아 말을 걸었다.

　"혹시......"
　"죄송합니다. 잠시만요."

나를 지나쳐 가는 간호사를 떠나 보내곤 또 다른 사람을
찾기 위해 두리번 거렸다. 하지만 나 빼곤 모두가 제 역할
이 있는 듯 아무도 나를 거들떠 보지도 않았고 그 공간에
서 난 멍하니 사람들의 뒤꽁무니만 바라볼 뿐이었다. 그렇
게 얼마나 서있었을까, 어깨를 툭툭 치는 누군가의 손길이
느껴져 천천히 뒤를 돌아봤다. 걱정스러운 눈빛으로 나를
보고 있는 간호사였다.

　"혹시 어디 아프신가요?"

"아... 그게... 사람을 찾고 있어서요."

"보호자 분이신가요? 혹시 환자 분 성함은 알고 계세요?"

나의 말이 다 끝나기도 전에 자리를 옮기는 간호사였다. 차마 뒷 말은 다 하지도 못 한 채 간호사의 뒤꽁무니를 따라가자 어느새 소란스러운 인파는 사라진 지 오래였고 한산하게 운영되는 병원 내부를 바라보다 나를 한 번 더 부르는 그녀의 목소리에 화들짝 놀라며 바라 보았다.

"환자 분 성함이 어떻게 되시죠?"

"...... 이수현이요."

"잠시만요."

차트를 뒤지고 있는 간호사를 보며 심장을 졸였다. 너가 살아야 돼, 그래야 내가 살아갈 수 있는데.

"혹시 생년월일 불러주실 수 있을까요."

"어...... 8월 10일이요."

810

시덥지 않은 대화 속에서 생일에 관한 이야기가 나오자 난 두 눈을 빛내며 말을 이어 나갔다.

"넌 생일 언제야?"

"8월 10일."

"엄청 더웠겠네."

"너는?"

"난 1월 10일."

"엄청 추웠겠네."

"우리 생일 끝 자리 똑같아."

"운명인가 봐."

여름을 싫어한다던 너는 한여름에 뜨거운 햇살을 받으며 태어난 아이였고 겨울을 싫어하던 나는 한겨울에 차가운 햇살을 받으며 태어난 아이였다. 단지 끝 자리만 같았을 뿐인데 넌 그마저도 운명으로 치부 했고 그런 너를 보며 운명을 바랐다.

"... oo년생 맞죠?"

"네 맞습니다."

간호사는 마우스의 소리를 멈추곤 깊은 한숨을 내쉰 뒤 나와 키보드를 위 아래로 번갈아 보더니 모니터에 시선을 고정한 채 말을 내뱉었다.

"환자 분 사망 상태로 뜨는데... 혹시 저희 병원 언제 방문 하셨나요?"

"... 오늘 처음."

"잠시만요......"

간호사는 점차 표정이 굳어 가더니 이젠 아예 인상까지 찌푸려 가며 차트를 확인했다.

"이수현 환자 분... 사망 하셨네요."

당장이라도 이곳에서 벗어나고 싶어 간호사를 향해 살짝 미소를 지은 뒤 허리를 숙여 가볍게 인사를 한 후 미련없이 뒤를 돌았다. 나를 부르는 듯한 울림이 퍼지는 듯 했지만 유유히 자리를 벗어났다. 분명 예상했던 일인데 본명 머리로는 다 알았다고 결론을 내렸는데 이미 너의 싸늘한 육체도 다 알았는데.

눈에서 떨어지는 이 액체는 이리도 모순적인 걸까.

떨리는 입술을 주체하지 못 하자 나의 치아는 입술을 찾아 나섰고 어느덧 입 안에선 뜨거운 피의 비릿내가 느껴지기 시작했다. 나의 의지와 상관없이 점점 땅을 향해 숙여지는 고개, 점점 가빠져 오는 호흡, 점점 감겨오는 두 눈을 꾸욱 누르곤 밖으로 나서자 눈물을 짓지 않겠다던 나의 계획은 완전히 틀어졌고 있는 힘껏 슬픔을 쏟아냈다. 갓난 아기처럼 눈을 질끈 감고 구역질이 날 만큼 슬픔을 토해내도 도무지 이 감정은 가라 앉을 생각이 없었고 또 다른 슬픔이 나를 좀먹고 있었다. 줄줄 새는 침을 닦아내며 간신히 자리에서 일어나려 했지만 이미 풀려버린 힘 때문에 다리엔 전혀 힘이 들어가지 않았고 계속해서 훌쩍거리며 멍하니 벤치 다리 틈새에서 피어나고 있는 민들레를 바라봤다. 눈치 없이 이쁘게 자라나고 있는 민들레가 너였다면 얼마나 좋을까.

순간,

민들레가 바람을 타고 하늘로 힘껏 치솟았다. 힘차게 솟아오르는 홀씨를 바라보면서 어이 없게도 죽고 싶다는 생각을 했다. 죽을 만큼 황홀한 기분에 휩싸여 증발 해버리고 싶었다.

순간적으로 바다에 빠질 때의 너의 모습이 머릿속을 채우기 시작했다. 아아, 너도 이런 기분이었을까. 차갑게 밀려오는 파도를 보면서 황홀한 죽음을 맞이 했을까, 네 생각을 하다 민들레를 바라보니 홀씨는 이미 하늘로 치솟은지 오래였고 그 자리엔 수줍게 고개를 내민 봉오리만 보일 뿐이었다.

.

"... 시발."

도저히 다른 단어로는 설명할 수 없었다. 다크서클은 턱 끝까지 떨어진 듯 했고 몸살에 걸린 듯 움직이지 않는 다리를 멍하니 바라 보았다. 눈을 무겁게 깜빡이다가 얼마나 식사를 하지 않았는지 곰곰이 생각 해보았다. 이틀에서 3일 정도 물을 제외하곤 아무런 음식을 먹지 않았다는 사실을 깨닫곤 깊은 한숨을 내뱉었다. 소리 없이 흘러가는 시계 바늘을 향해 고개를 드니 그제야 허기가 지는 듯 엄청난 소리가 요동치기 시작했다. 위액이 분비 될 듯한 배고픔이 나의 위장을 뒤트는 듯 했지만 나를 집어 삼킨 귀찮음이 식욕의 욕구를 져버리게 만들었다.

병원에 다녀오고 나서부턴 귀에서 환청이 들려오기 시작했다. 가녀린 여자의 목소리, 늙은 노인의 목소리, 앙칼진 남자의 목소리 등등 다양한 소리들이 뒤엉킨 듣기 거북한 환청. 또 다시 병원으로 가기 귀찮고 무기력 했던 난 그러려니 하는 심정으로 귀를 한 번 파주기만 했다.

"너 이대로 괜찮겠어?"
"얘 이러다가 죽는 거 아니야?"
"에이 설마. 그럴 거 같진 않아. 얘 겁 많잖아."

자기들끼리 쑥덕 거리는 소리가 나의 귀에도 울려 퍼졌지만 눈 하나 깜빡이지 않고 기름 범벅이 된 머리와 얼굴을 쓸어 내렸다. 인중과 턱 부분을 만지니 꺼끌꺼끌하게 자라난 수염의 감촉이 느껴졌다. 혀를 한 번 차곤 누워있던 몸을 일으켜 세웠다.

"하..."

짜증이 뒤섞인 신음을 뱉은 뒤 냉장고의 문을 열었다. 이미 유통기한이 한참 지나버린 두부와 언제 샀는지도 모를 계란, 썩어버려 회색 빛으로 돌고 있는 야채, 먹다 남은 듯 기분 나쁘게 남겨져 있는 도넛 조각, 뚜껑도 제대로 닫지 않아 탄산이 다 증발 해버린 탄산 음료까지. 무엇 하나 제대로 먹을 수 있는 음식이 없었음에도 눈을 돌리다가 먹다 남긴 도넛을 마저 베어 먹었다. 생각보다 달달하고 부드러운 도넛을 허겁지겁 손가락까지 쪽쪽 빨며 맛있게 먹었다. 그러자 급격히 찾아오는 현타가 무기력의 바닥으로 이끌었다. 배가 부른 풍족감에 기분이 나빠져 자리를 박차고 일어나 현관으로 달려 나갔다. 쿵 소리를 내며 닫힌 그 공간엔 차가운 냉기만이 가득했다.

"미쳤어 얘."
"그런 거 같지?"
"하긴 정신병 올 때도 됐지. 얘 여태 힘들었잖아."
"사주 자체가 불행을 달고 사는 걸. 안 됐지 뭐."

슬슬 선을 넘고 있는 듯한 발언에 한 마디 거들어야 겠다고 생각한 찰나,

"이틀만 더 늦게 태어 났어도 얘 인생이 이렇게 꼬이진 않았어."
"그래도 어쩌겠니. 살아야지."

순간 멍해지는 정신에 과거의 기억이 떠오르기 시작 했다.

1월 10일.

추위의 절정을 겪고 있던 그 해 겨울, 내가 태어났다. 하지만 나의 탄생은 축복을 받기엔 정말 거지 같은 타이밍이었다. 내가 태어나고 나서부터 모든 불행의 시작점이 나였던 것이다. 내가 태어나서 부터 엄마는 갑작스러운 병에 걸려 앓아 누웠고 엄마가 병원에 누워 죽음을 기다리고 있을 시기인 그 때부터 아버지의 폭력이 시작 됐다. 모든 나쁜 일의 시발점은 나에게 있었던 것이다.

 "엄마 혹시 나 때문에 아픈 거야?"

그 때의 난 8살이었다. 나무로 따지면 이제 겨우 나무 밑동만한 크기인 아이인데 그 말을 들은 엄마의 심장이 얼마나 찢어질까. 그녀는 휘둥그레 나를 바라보며 입을 뻐끔거리다 잠긴 목소리로 말을 내뱉었다.

 "그게 무슨 말이야 한빈아. 누가 그래?"
 "그냥…"
 "한빈이 때문에 아픈 거 전혀 아니야."
 "아빠도 날 싫어해. 엄마도 그런 거 아니야?"

엄마는 온갖 고생을 한 후라 살이 쏙 빠져 있었고 웃을 때 들어가는 보조개가 빠진 볼살 때문에 더욱 적나라 하게 들어났던 시절이었다. 엄마는 나의 눈을 바라보며 떨리지만 강단 있는 목소리로 나에게 말했다.

"엄마는 한 순간도 널 미워한 적 없어."
"정말?"
"당연하지. 설령 세상이 널 미워해도 엄마는 널 미워하지 않아. 그러니까 눈물 닦자 얼른."

나도 모르게 눈물이 떨어졌는지 엄마는 나를 껴안으며 어깨를 들썩였다. 지금 생각해보면 그 떨리는 어깨가 얼마나 작게 느껴졌는지 모른다. 한 없이 강한 줄 알았던 엄마가 이렇게 쉽게 무너지는 모습은 뒤이어 죄책감으로 바꼈다. 난 단지 멍한 눈으로 엄마의 등을 껴안을 뿐이었다. 엄마에게 상처가 되는 그 말을 하지 말 걸. 닭똥 같은 눈물을 뚝뚝 흘리며 후회 했다. 그렇게 눈물 흘릴 시간에 한 번만 더 사랑한다고 이야기 해줄 걸, 그 여린 품을 조금이라도 더 신경 써줄 걸,

한 번만 더 안아줄 걸.

잡생각을 하다 보니 도착한 곳은 바다였다. 어느 순간 내 귀에선 아무런 잡음이 들리지 않았고 그 사이에 환청이 멎었다는 걸 느꼈다. 상당히 오랜 시간이 흐른 것 같았지만 이 모든 일이 고작 3일 동안 일어난 일이라면 나에겐 아무런 희망과 미래가 없다. 3일 동안 난 고작 눅눅하게 달라 붙은 도넛 조각 하나만 먹었고, 아무런 미래도 꿈꾸지 않았고 멍하니 세상이 망하기를 기도 했을 뿐이었다. 오로지 슬픔, 분노, 자괴감, 상실감, 치욕, 불쾌, 역겨움만이 육체를 지배한 부적응자일 뿐이었다.

 "... 수현아."

이상하게도 내 입에서 나온 말은 엄마도 아닌 아주머니도 아닌 이수현이었다. 아까까지만 해도 머릿속으로 엄마만 떠올렸는데 미적지근한 바다의 바람을 느끼니 이젠 네 생각만 머리를 채웠다. 넌 내가 얼마나 네 이름을 불렀는지 모를 거야. 아마 다시 내 눈 앞에 나타나도 전혀 모를 거야.

 "나 엄마가 보고 싶어."

이제와서 나의 이야기를 했다.

"난 말이야 그저 그렇게 살아가고 싶었어. 부자의 삶도 바라지 않았고 거지의 삶도 바라지 않았고 그냥 살아가는 거 있잖아. 그냥 그걸 원했어."

말 없이 파도 소리만 들려올 뿐이었다. 어차피 들어 줄 사람도 없겠다 싶어 나 홀로 바다의 수평선을 바라 보며 말을 이어 나갔다.

"엄마가 나한테 해줬던 말 중에 기억에 남는 게 있어. 날한 순간도 잊은 적 없다는 거. 근데 너가 그 쪽지를 남겼을 때 소름이 돋더라. 잠깐 엄마가 환생한 줄 알았어."

이내 난 모래 사장에 다리를 쭉 뻗곤 저 너머의 수평선을 끊을 듯이 바라보며 말을 했다.

"지금 이대로 공기가 사라지면 좋겠다."

순간, 모래 바람이 불더니 나의 머릿칼을 강하게 쓸어 내리곤 우수수 바다로 떨어졌다. 잠시 놀란 눈빛으로 그것들을 바라보다 다시 말을 했다.

"그 때 죽으려고 했던 거. 아버지 때문이었어. 그 사람이 하루도 빠짐 없이 내 눈 앞에 아른 거렸거든. 검정색으로 빛나는 눈이 나를 삼키는 게 너무 지옥 같아서 죽고 싶었는데 너가 날 살렸잖아. 너가 날 세상의 존재로 만들어 준 거잖아. 근데 넌 왜 세상에 버림 받은 존재가 된 거야?

목에 뭐라도 걸린 듯 아무런 말이 나오지 않았다. 입을 뻐끔 거리다가 잠시 숨을 깊게 내 쉬곤 마저 이어 나갔다.

　"너도 아마 다 아는 얘기 일 거야. 소설이나 드라마에서 빠지지 않고 나오는 얘기잖아. 엄마는 병 들어 죽었고 남은 아빠가 자식 패는 거, 흔해 빠진 클리셰잖아. 근데 난 왜 그 흔해 빠진 게 이렇게도 무서웠을까. 죽음을 바랄 만큼 두려웠던 걸까?

또 다시 눈물이 흐른다.

　"맞아. 난 그 놈이 너무 무섭고 두렵고 죽이고 싶을 만큼 괴로웠어. 자고 일어 났는데 그 사람 죽어 있더라. 온갖 구멍에서 액체가 줄줄 흐르는데 그 순간에 제일 먼저 들었던 감정이 뭐였는지 알아?"

-꼴에 아버지라고 자식으로서 느껴지는 죄책감.

"그렇게 나를 개 잡듯이 팼는데 죄책감이 제일 먼저 들더라. 그렇게 죽여달라고 빌었으면서 막상 현실로 다가오니까 그 놈이 자살한 게 아니라 내가 그 놈을 타살한 거 같았어."

묵묵히 나의 볼을 스치는 바람에 싱긋 미소를 보였다.

"처음 날 그 집에 데려온 그 순간부터 넌 나에게 구원이었어. 그 집은 너무 차가웠거든. 그냥 속마음으로만 생각하고 싶었는데 선을 지키자고 스스로 약속 했는데 날이 갈 수록 그 마음이 점점 부푼 걸 어떡해. 처음엔 동질감, 불순함 뿐이었는데. 널 사랑하고 싶지 않았어."

주체 할 수 없는 슬픔이 나를 절벽 끝으로 몬다.

"사실 너가 불순한 의도가 있다는 거 다 알고 있었어. 그런데도 난 널 따라 가고 싶었어. 너가 날 구원할 듯 했으니까. 우리 둘 다 약아 빠진 거야. 그러니까 우린 지옥에 가겠지. 그래도 우리가 함께라면 지옥도 천국이 될 거야."

사랑하니까

 "난 비 오는 날이 너무 좋았어. 비에 신경 쓴다고 나의 고통을 아무도 모르잖아. 우산 안에 가려진 사람들이 다 똑같은 표정으로 하늘을 바라 보잖아. 난 그게 너무 좋았어. 근데 넌 비가 끔찍하게 싫다고 했잖아. 그랬던 너가 이젠 비 내리는 하늘 위에 있는 게 이젠 비가 싫어."

눈물에 젖은 눈가가 마르지 않길 바랬다. 이렇게라도 해야 희미하게나마 너가 내 눈에 보일 듯 했으니까.

 "사랑해서 죽고 싶은 기분 알아? 사랑 뒤에는 영원이 있을 거 같거든. 우리 그냥 영원히 떠날까? 엄마도 모르고 아버지도 모르는 곳으로 우리 둘만."

저 멀리 풀 벌레 소리만 메아리처럼 퍼졌고 아무런 울림도 느껴지지 않았다. 그 순간 까맣게 잊고 있었던 담배를 급히 찾았다. 옷 갈아 입을 정신도 없어서 며칠 째 착용한 똑같은 바지를 뒤적거리니 주머니 깊은 곳에서 구겨질 대로 구겨진 담배 한 개비가 손에 들어 왔다. 상의를 더듬거리니 언제 넣어 놨는지도 모를 거의 다 쓴 라이터가 있었고 행운이라는 말을 중얼거리며 담배에 불을 피웠다. 간 만에 보이는 빨간 불꽃을 보니 왜인지 토마토가 먹고 싶어졌다. 엄마가 살아 생전 그토록 많이 먹었던 토마토는 아주 빨갛게 익어 금방이라도 물러질 듯 했다. 엄마는 그 것을 어쩜 그리도 맛있게 먹었는지 그럴 때마다 난 항상 엄마의 허리를 끌어 안곤 한 입만을 외치곤 했었다.

피식 웃으며 담배를 한 입 베어 먹었다. 쌉쌀하게 입 안에 퍼지는 향이 유난히 쓰게 느껴졌고 토마토 생각은 연기와 함께 기억 깊은 곳에 스며 들어갔다. 멍하니 담배를 바라 보다 다양한 각도로 담배를 관찰했다. 이 작은 개비 하나에 얼마나 많은 추억이 담겨 있을까 생각을 하다 자리에서 일어났다. 그러곤 뒤를 돌아 모래 사장과 산책로를 바라 본 뒤 다시 어둠이 자욱하게 끼인 바다를 향해 시선을 옮겼다. 이 끝도 없는 바다를 바라보며 너는 어떤 생각을 했을까. 파르르 떨리는 눈을 감고 고함을 질렀다. 악을 쓰며 고함을 질러도 나에게 관심을 주는 사람은 아무도 없었다. 몸이 앞으로 쏠릴 만큼 강하게 절규했다.

.

"나를 사랑하지 못 해 미안하다."

큰 소리를 내어 쪽지의 내용을 읽었다. 없어진 줄 알았던 그 놈의 쪽지를 보니 날렸지만 힘 있게 쓴 그 글씨가 알 수 없는 기분에 잠기게 만들었다.

 "자신도 사랑 못 하는데 자식을 사랑 하겠냐고."

원망스러웠다. 용서를 하기엔 이미 먼 곳으로 돌아와도 한참 돌아온 길이었다. 숨이 턱 막히는 기분에 떨리는 손으로 다시 주머니를 뒤적거리자 안주머니 깊은 곳에서 쪽지와 귀걸이가 손에 들어왔다. 이젠 아예 알아 볼 수 없는 작은 글씨와 여전히 빛나고 있는 은색 귀걸이의 조합이 안 어울려 피식 웃었다. 그러곤 작은 쪽지 위에 귀걸이를 올려 모양에 맞게 종이를 구기자 찌그러진 원의 형태가 나왔다. 어떻게든 둥글게 살아가기 위해 발악 하지만 모날 대로 모난 직각이었다. 그게 너와 나였다. 원은 어쩔 수 없이 타고난 것이었다. 몸을 절단 시켜도 도저히 불가능한 것이었다. 우린 그냥 모난 원이었다.

그 놈의 쪽지와 너의 쪽지가 감싸져 있는 귀걸이를 모래 더미 위에 올렸다 내렸다를 반복 하다 주머니에 옮겨 담은 뒤 담배를 꼬옥 물곤 걸음을 옮겼다. 모래와 바다 그 사이의 경계는 몹시도 차가웠다. 여름이라고 했지만 새벽의 바다는 너무나도 차가워 소름이 돋을 정도였다. 한 걸음을 디딜 때마다 다양한 생각이 머리를 삼켰다. 그 중에서도 제일 크게 차지한 건 너인데 이곳엔 너가 없다. 엄마도 없다. 아버지도 없다. 이름 없는 세상에 이름을 남기고 간 그들은 나를 비참하게 만들었다.

.

서서히 발끝부터 물이 차오른다. 아, 목욕이라도 한 번 해볼 걸. 살아 생전 목욕탕 이라는 곳을 한 번도 가보지 못 했는데 한 번 쯤은 가볼 걸. 뒤늦은 후회도 나를 집어 삼킨다. 그럼에도 이 걸음은 멈출 생각이 없고 계속해서 나아갔다. 발목을 간신히 덮던 물이 어느덧 목까지 차올랐고 바다의 중앙에 들어선 난 그제야 깨달았다.

"따뜻한 바다가 있었어."

거의 타들어 가버린 담배를 뱉어내니 차마 다 날아가지 않은 연기가 입 안에서 맴돌았다. 입에 머금은 연기를 날리니 간만에 하늘 위로 강하게 솟아 올랐다. 너가 하던 개인기를 따라 하기 위해 노력 했던 성과가 이제서야 빛을 내는 모습을 보니 입꼬리가 올라갔다. 하늘 위 밝게 떠 있는 수 많은 별 중 하나를 바라 보며 한 마디 외쳤다.

 "사랑한다고 해 줄래?"

그 순간, 나의 몸은 무언가가 잡아 당기는 듯 깊은 곳으로 빨려 들어갔다. 당황스러운 기분에 몸을 허우적 댔지만 이내 그것도 잠시 바다에 몸을 맡겼다. 점점 폐 안에 물이 차오르고 손 끝엔 아무런 감각이 느껴지지 않을 때 즈음 파동과 함께 울려 퍼지는 그 소리를 들은 난 그제야 제대로 웃을 수 있었다. 바다 한복판에서 난 그 누구보다 행복한 사람이었고, 이름 없는 세상에 이름이 생기는 순간이었다. 넌 내가 영원이라고 했지. 넌 나에게 영원이자 하나뿐인 세상이야. 이름 없는 세상에 영원이라는 이름을 나에게 준 거야.

점점 정신이 희미해지며 더 이상 아무런 고통이 느껴지지 않는다. 그리곤 두렵지만 편안한 어둠 속으로 빨려 들어간다.

.

깊게

깊게

깊게

.

.

.

  "사랑해, 영원히."

눈 앞에 아른 거리는 조그마한 형체가 시야에 가득 담겼다. 눈에 초점을 맞추기 위해 인상을 구기며 바라 보니 영롱하게 빛나는 은색 귀걸이가 있었다. 손을 뻗고 싶은 욕구를 뒤로 한 채 흐려지는 눈으로 뚫어지게 쳐다보자 어느 순간 바다가 나의 일부처럼 느껴졌다. 바다는 내가 되어 숨을 쉬고 나는 바다가 되어 그것의 일부가 됐다. 그렇게 바다와 하나가 됐다. 그토록 바랐던 너와 하나가 됐다.

길게만 느껴지던 삶의 마지막은

.

.

.

그저 그런 삶이었다.

.

Epilogue

"여행 한 번 갈까 우리."

"안 돼. 돈 벌기로 했어."

"그래도 여름인데 한 번 쯤은 좋지 않아?"

"어디 갈 건데?"

"음... 바다?"

"에이. 무슨 바다야. 됐어."

"덥잖아 요즘."

"언제 갈 건데?"

"마음 같아선 지금 가고 싶긴 한데 너 가고 싶을 때 갈래."

"뭐야. 너 나 좋아해?

"...

"왜 아무 말도 안 해. 뻘쭘하네."

"좋지 당연히."

"됐거든. 이미 늦었어. 그럼 다음 주나 돼서 가자, 바다."

"좋아."

너의 얼굴을 곁눈질로 바라 보니 너의 귀는 토마토처럼 붉게 익어 있었고 나의 귀도 달아 오르는 듯 했다.

"얼른 자자."

"응. 조금 있다가."

"왜. 잠이 안 와?"

"응. 조금."

"우유라도 줄까?"

"아니. 먼저 자고 있어. 난 나중에 잘게."

"알겠어 잘 자. 내일 봐."

잠든 너의 얼굴을 바라 보다 밖으로 나와 바람을 느꼈다. 왜인지 하루종일 붉게 느껴지는 얼굴을 만지작 거리다가 하늘을 바라 보았다. 너처럼 밝게 빛나는 달이 나를 비추고 있었다.

"피부 타는 거 싫었는데."

머릿속으로 너의 웃음을 떠올리니 피부가 타는 것 쯤은 아무것도 아니라는 걸 느꼈다. 어쩌다 작은 감정이 이렇게까지 부풀어 오른 걸까, 피식 웃은 뒤 집 안으로 들어가 잠든 너의 얼굴을 구경했다. 뚫린 구멍 없이 깔끔한 귀와 누워 있음에도 높게 솟아 있는 코, 빨갛게 익은 입술을 보다가 이상한 짓을 하는 듯한 기분이 들어 옆에 누우려던

찰나,

"사랑 하는 거 같아. 죽음이 와도 너를 사랑해."

순식간에 나를 끌어 당기는 그 손길에 난 아무것도 할 수 없었다. 벙찐 정신을 부여잡곤 되물어 봤다.

"나를 사랑한다는 거야?"
"응... 사랑해..."

참을 수 없는 감정이 나를 집어 삼켰다. 그 말을 들은 뒤 너의 이마에 살포시 입술을 가져다 댔다. 촉, 하는 소리와 함께 떨어진 이마엔 따스함이 가득했고 들리지도 않을 너에게 한 마디 했다.

"죽지는 마."

나의 말이 들리기라도 하는 듯 너는 살짝 미소를 지으며 뒤척거렸다.

"나도 사랑해. 많이."

붉어진 이마의 주변이 감정을 대신 전하는 듯 보였다. 주체할 수 없이 뛰는 심장을 부여 잡고 너의 머리카락을 정리 해주며 입을 뗐다.

"잘 자. 이한빈."

작가의 말

안녕하세요, 채은 입니다. 첫 소설을 쓰고 후기를 작성 해 보니 기분이 이상한 듯 합니다. 사실 이 소설을 쓰면서 걱정을 정말 많이 했습니다. 고등학교 1학년 즈음부터 조금씩 써본 글을 정식으로 낼 줄은 상상도 못 했기 때문이에요. 3년 동안 입시를 하면서 답답할 때마다 썼던 이야기가 생각보다 이렇게 길어질 줄도 전혀 예상을 못 했던 거 같습니다. 읽어줄 사람이 있을지는 잘 모르겠지만 한 분이라도 읽어주신다면 그만큼 큰 행복은 없을 듯 합니다!

첫 장편 아닌 장편 소설을 썼지만 다소 우울한 분위기가 만들어졌다는 점 양해 부탁드립니다. 우울하게 쓴 이유는 크게 없는 듯 해요. 처지는 분위기가 소설의 질감을 잘 살릴 수 있을 듯 해서 저도 모르게 이런 이야기를 쓴 것 같아요. 한빈이와 수현이의 이야기를 통해 사회적 약자의 시선을 전달할 수 있는 효과적인 방법이 무엇일까 생각을 해보다가 떠오른 건 바다였던 거 같아요. 한 없이 넓게 펼쳐진 바다를 보게 되면 누구나 그 웅장함 때문에 지레 겁먹을 수도 있다고 생각해요. 금방이라도 뭐든 삼켜 버릴 것 같으니까요. 한빈이와 수현이는 초라한 자신과 다르게 그 엄청난 바다가 얼마나 무서웠을까요. 두 사람이 앞으로도 행복했음 합니다.

이 소설을 통해 누군가는 다소 비현실적이거나 지나친 우연이 느껴질 수도 있을 듯 합니다. 하지만 이와 같은 운명 같은 우연을 통해 새로운 사람이 되고 새로운 삶을 누릴 수 있을 것이라 생각이 들어요. 제가 전달 하고 싶은 바가 무엇인지 알아 차리셨을까요? 처음 쓴 글이기에 부족한 부분도 많을테고 전개 하는 부분도 딱딱하게 이어 나간 점이 많이 아쉽네요. 아직 할 말도 너무 많지만 슬슬 마무리를 하도록 할게요. ㅠ一ㅠ

부적응 하고 살아 가는 듯한 사람들을 위해 한 마디 해 봅니다. 그 누구도 당신들을 원망 하지 않고 후회 하고 있지 않으니 부딪혀 봐도 될 거 같아요. 아직 세상은 우릴 버리지 않았습니다! 아직 스무 살밖에 되지 않은 내가 무슨 거창한 말을 할 수 있겠어요. 그래도 아직은 살만 합니다. 깊은 우울감이 찾아올 땐 잠시 숨을 크게 쉬고 내뱉어 보아요. 이름 없는 세상에 분명 이름이 생길 겁니다.

다들 행복하세요.